emocionário

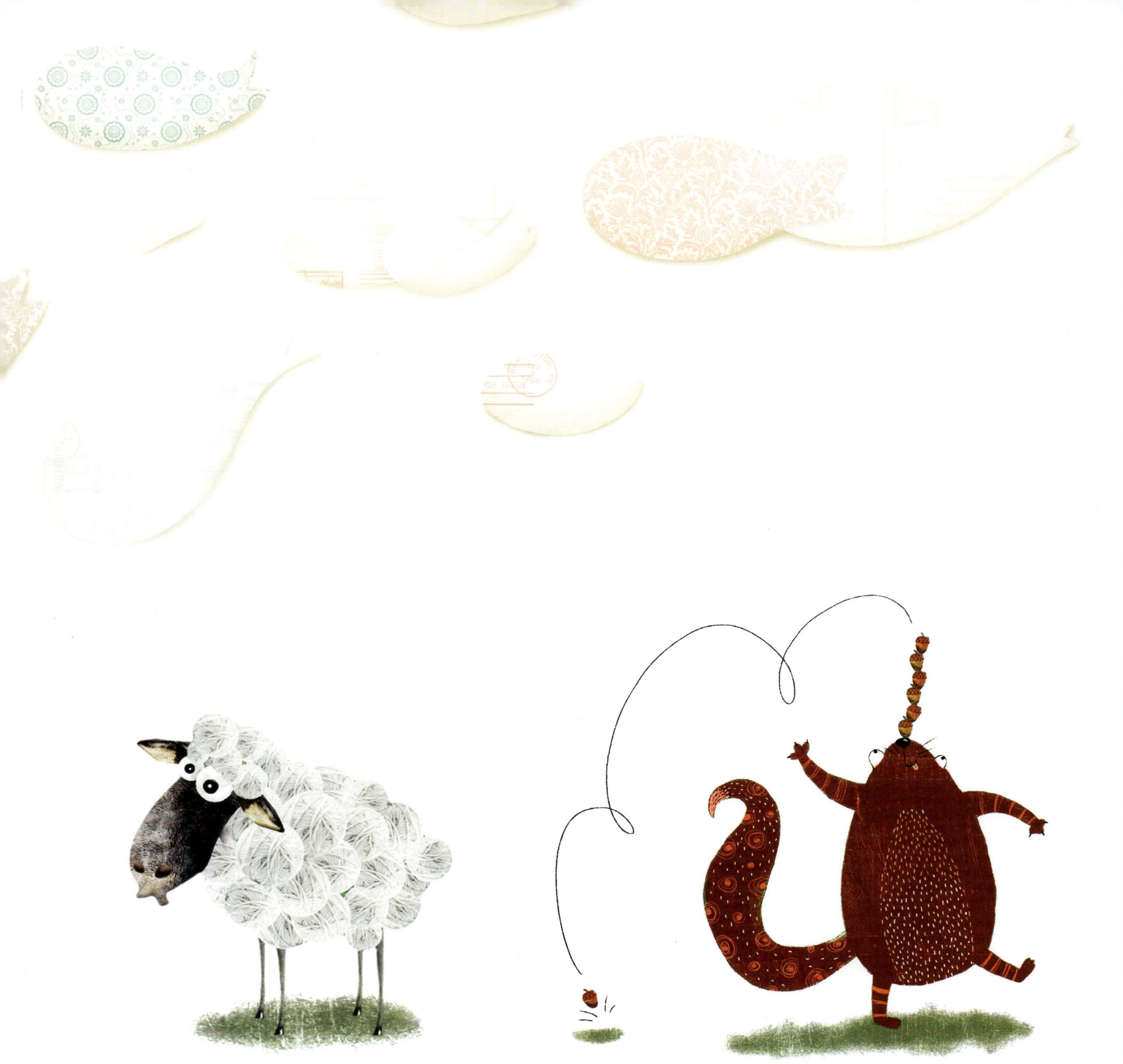

emocionário

Diga o que você sente

SEXTANTE

Título original: *Emocionario*

Copyright © Cristina Núñez Pereira e Rafael R. Valcárcel
Copyright das ilustrações © Os direitos das ilustrações pertencem aos autores indicados nas páginas 6 e 7
Copyright da tradução © 2018 por GMT Editores Ltda.

Todos os direitos reservados. Nenhuma parte deste livro pode ser utilizada ou reproduzida sob quaisquer meios existentes sem autorização por escrito dos editores.

tradução: Rafaella Lemos
preparo de originais: Hermínia Totti
revisão: Juliana Souza e Livia Cabrini
projeto gráfico e capa: Leire Mayendía
adaptação de projeto gráfico e de capa: Ana Paula Daudt Brandão
impressão e acabamento: Ipsis Gráfica e Editora

CIP-BRASIL. CATALOGAÇÃO NA PUBLICAÇÃO
SINDICATO NACIONAL DOS EDITORES DE LIVROS, RJ

P49e   Pereira, Cristina Núñez
    Emocionário: Diga o que você sente / Cristina Núñez Pereira, Rafael R. Valcárcel; tradução de Rafaella Lemos. Rio de Janeiro: Sextante, 2018.
    92 p.: il.; 22,5 x 24

    Tradução de: Emocionario
    ISBN 978-85-431-0659-5

    1. Emoções - Dicionários. 2. Emoções - Obras ilustradas. I. Valcárcel, Rafael R. II. Lemos, Rafaella. III. Título.

18-52230   CDD: 152.403
                        CDU: 159.942(038)

Todos os direitos reservados, no Brasil, por
GMT Editores Ltda.
Rua Voluntários da Pátria, 45 – Gr. 1.404 – Botafogo
22270-000 – Rio de Janeiro – RJ
Tel.: (21) 2538-4100 – Fax: (21) 2286-9244
E-mail: atendimento@sextante.com.br
www.sextante.com.br

PROPOSTA DE LEITURA

A jornada emocional que propomos a seguir tenta se aproximar ao máximo da ordem natural em que ocorrem os sentimentos. No entanto, você pode começar pela emoção que mais lhe agrada e depois ir para a página que quiser.

PREFÁCIO*

Rosa Collado Carrascosa
psicóloga e psicoterapeuta

Um dicionário de emoções... Que ideia fantástica para ajudar as pessoas a conhecerem o que se passa em seu interior!

Este livro oferece até ao mais jovem leitor a oportunidade de reconhecer as próprias emoções e falar sobre seus sentimentos. Isso lhe dará a chance de canalizar de maneira adequada tudo o que sente e experimentar a vida em todo o seu potencial.

EMOCIONÁRIO pode ser um material fundamental de apoio pedagógico. Ele permite aprimorar a inteligência emocional da criança, que é a chave da autoaceitação e do desenvolvimento psicoevolutivo saudável.

Descobrir, identificar e diferenciar as emoções é uma forma de educar os pequenos para que experimentem seus sentimentos sem medo, descubram a si mesmos e se tornem adultos autoconscientes, com a sensibilidade e a sabedoria necessárias para enfrentar os desafios da vida.

Sentir é um privilégio do ser humano, e aprender a expressar nossas emoções nos ajuda a estar mais perto das pessoas que amamos.

Emoções são estados afetivos inatos e automáticos que afetam nosso corpo, nossa mente e nosso comportamento. O propósito das emoções é nos ajudar a lidar com o que acontece à nossa volta.

Sentimentos são a tomada de consciência dessas emoções. Eles servem para expressar nosso estado emocional de maneira mais racional para os outros e para nós mesmos.

* Informação para os adultos.

SUMÁRIO

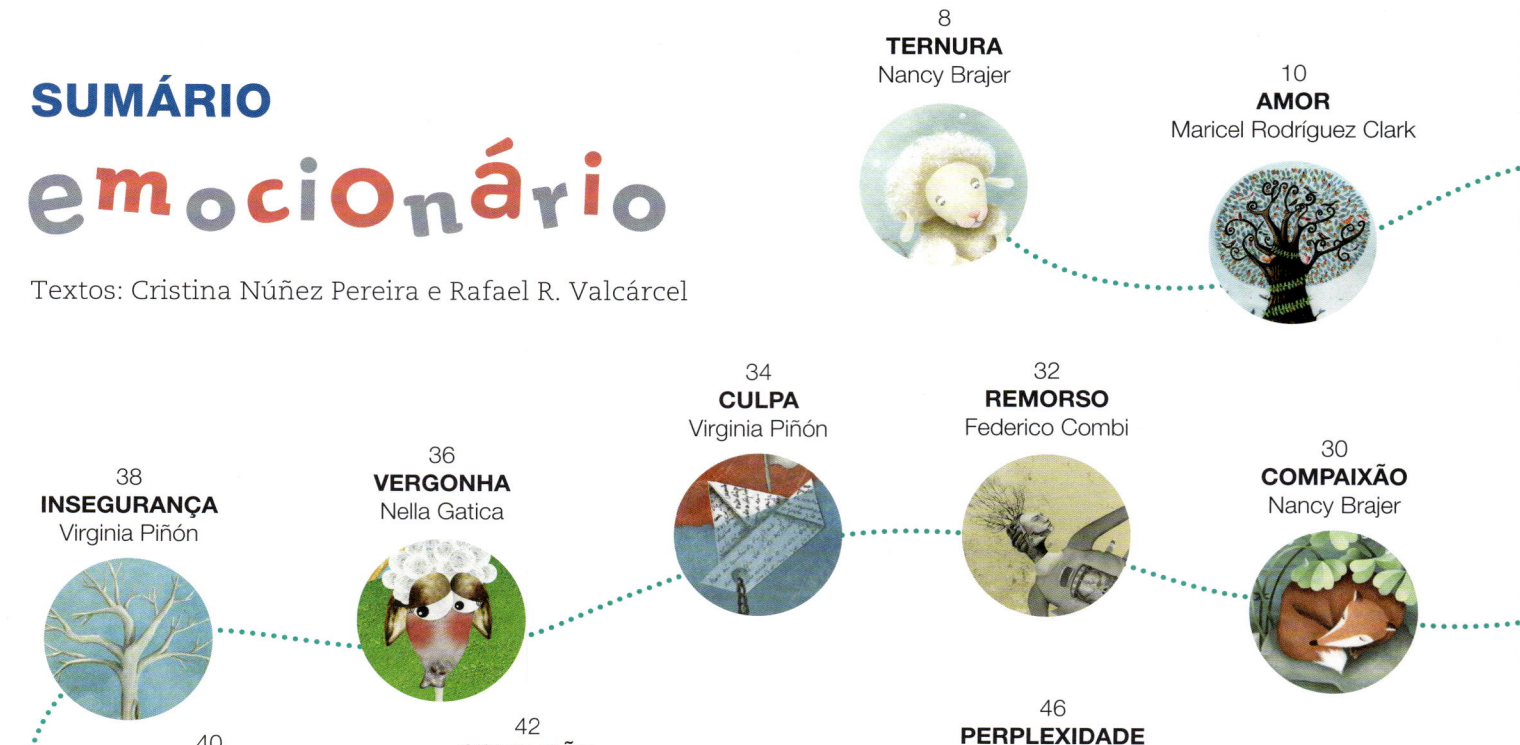

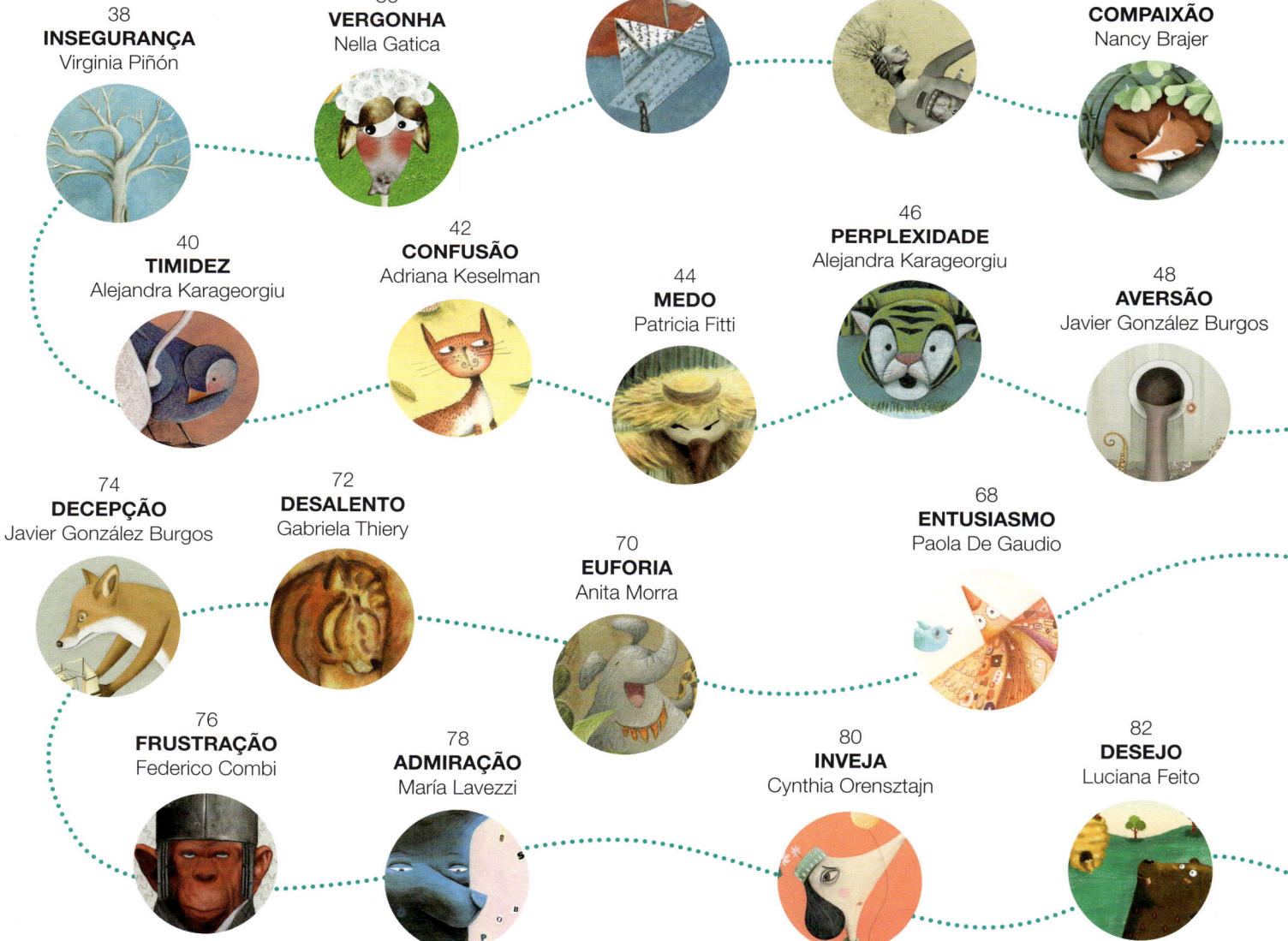

emocionário

Textos: Cristina Núñez Pereira e Rafael R. Valcárcel

8 TERNURA — Nancy Brajer

10 AMOR — Maricel Rodríguez Clark

38 INSEGURANÇA — Virginia Piñón

36 VERGONHA — Nella Gatica

34 CULPA — Virginia Piñón

32 REMORSO — Federico Combi

30 COMPAIXÃO — Nancy Brajer

40 TIMIDEZ — Alejandra Karageorgiu

42 CONFUSÃO — Adriana Keselman

44 MEDO — Patricia Fitti

46 PERPLEXIDADE — Alejandra Karageorgiu

48 AVERSÃO — Javier González Burgos

74 DECEPÇÃO — Javier González Burgos

72 DESALENTO — Gabriela Thiery

70 EUFORIA — Anita Morra

68 ENTUSIASMO — Paola De Gaudio

76 FRUSTRAÇÃO — Federico Combi

78 ADMIRAÇÃO — María Lavezzi

80 INVEJA — Cynthia Orensztajn

82 DESEJO — Luciana Feito

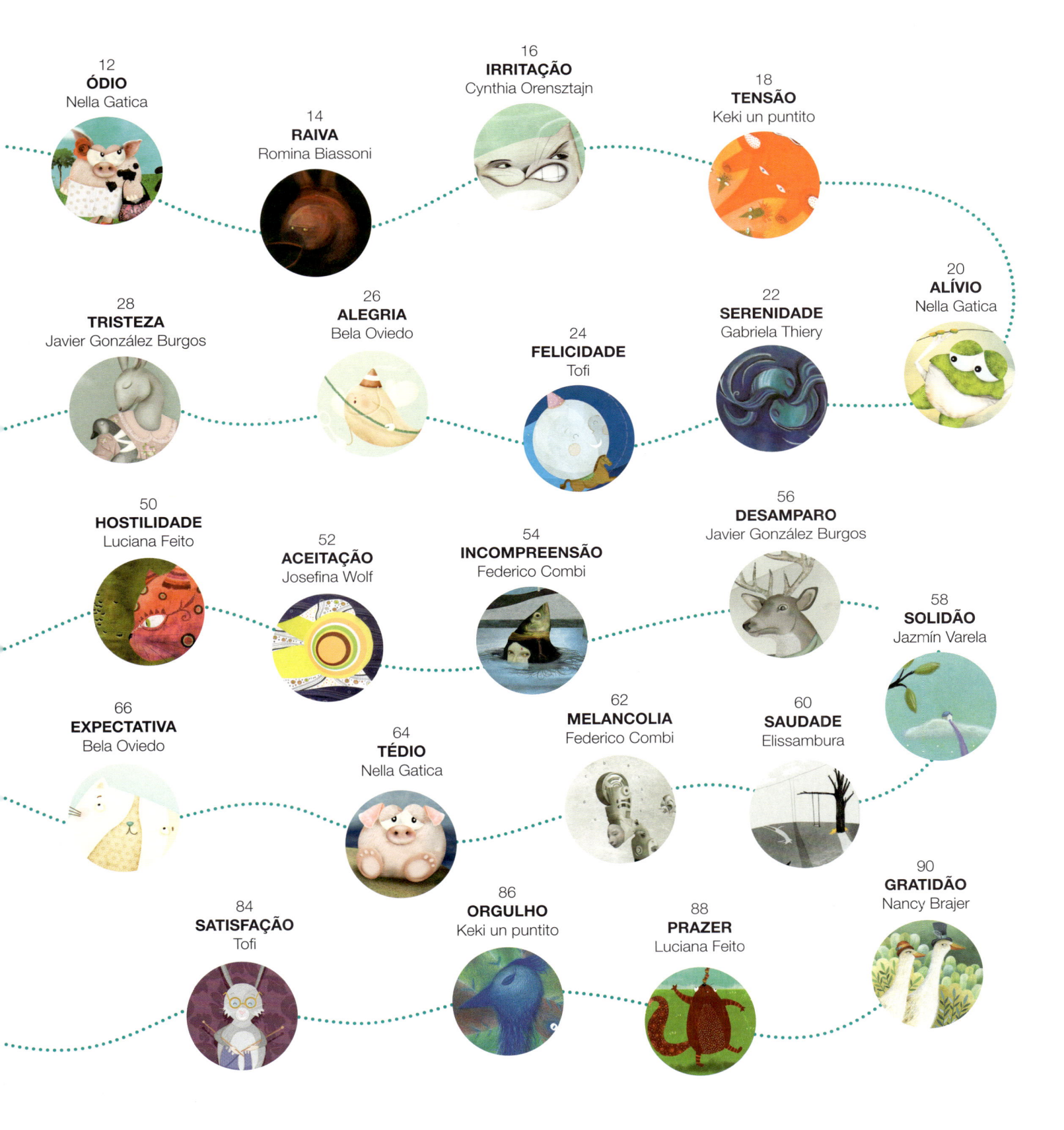

Página	Emoção	Autor
12	**ÓDIO**	Nella Gatica
14	**RAIVA**	Romina Biassoni
16	**IRRITAÇÃO**	Cynthia Orensztajn
18	**TENSÃO**	Keki un puntito
20	**ALÍVIO**	Nella Gatica
22	**SERENIDADE**	Gabriela Thiery
24	**FELICIDADE**	Tofi
26	**ALEGRIA**	Bela Oviedo
28	**TRISTEZA**	Javier González Burgos
50	**HOSTILIDADE**	Luciana Feito
52	**ACEITAÇÃO**	Josefina Wolf
54	**INCOMPREENSÃO**	Federico Combi
56	**DESAMPARO**	Javier González Burgos
58	**SOLIDÃO**	Jazmín Varela
60	**SAUDADE**	Elissambura
62	**MELANCOLIA**	Federico Combi
64	**TÉDIO**	Nella Gatica
66	**EXPECTATIVA**	Bela Oviedo
84	**SATISFAÇÃO**	Tofi
86	**ORGULHO**	Keki un puntito
88	**PRAZER**	Luciana Feito
90	**GRATIDÃO**	Nancy Brajer

Ternura

Alguns seres despertam a nossa ternura: um cachorrinho, um broto de árvore, um vovozinho... Ternura é proximidade, afeto e compaixão.

Sentimos ternura por pessoas, seres e objetos indefesos ou que não nos parecem ameaçadores.

Onde está a ternura?

Ela está dentro de nós. Mas são os outros que abrem as portas da nossa ternura. A fragilidade deles nos faz querer ser delicados, atentos e compreensivos.

A ternura é um convite ao **amor**.

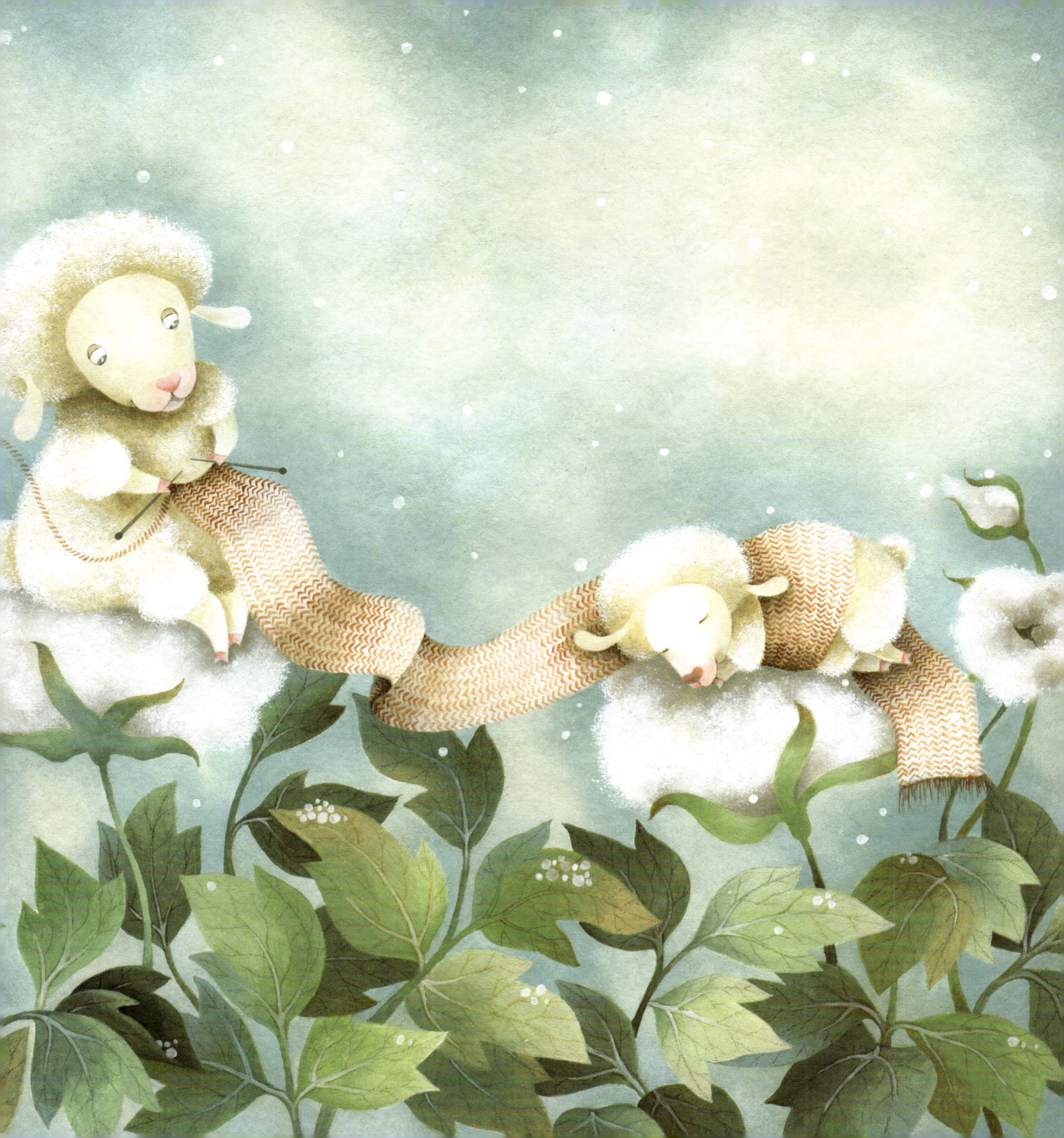

Amor

De todas as emoções, o amor talvez seja a mais contraditória. Ele pode provocar em nós um sorriso gigantesco ou uma cachoeira de lágrimas.

Que tipos de amor existem?

– Amor romântico: quando pensamos constantemente em uma pessoa e, no momento em que a encontramos, sentimos um misto de nervosismo e alegria.

– Amor diligente: quando compartilhamos a alegria e a tristeza da pessoa que amamos e sempre desejamos o melhor para ela. É um sentimento puro e cálido.

O amor é o oposto do **ódio**.

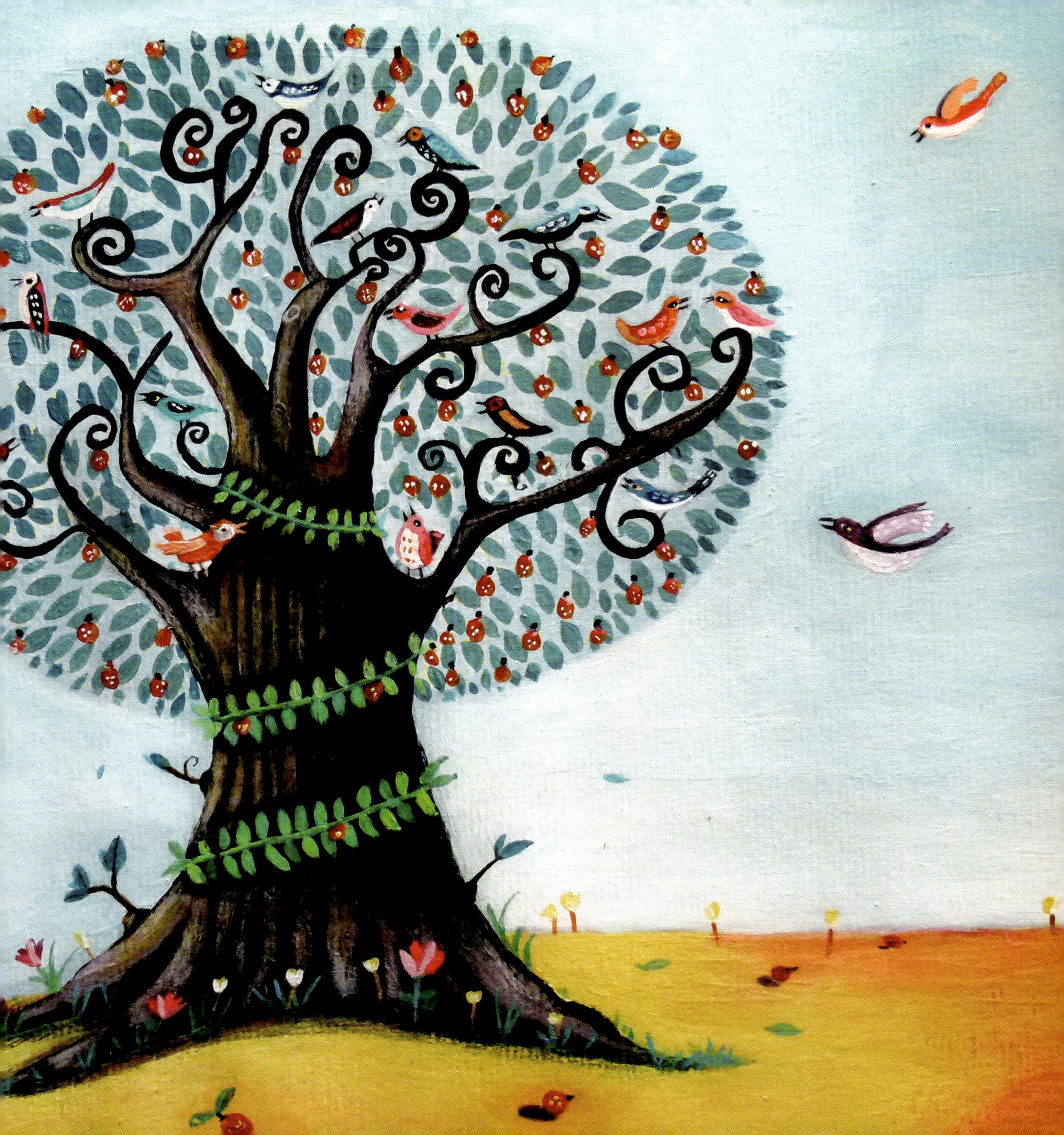

Ódio

O ódio é uma grande antipatia, um sentimento de aversão por algo ou alguém. Como consequência, ficamos desejando que alguma coisa de ruim aconteça com o objeto de nosso ódio.

Quanto tempo dura o ódio?

Às vezes dura muito. Outras, só um pouquinho. Você pode sentir um ódio momentâneo por uma pessoa, mas isso não significa que tenha deixado de amá-la.

Quando o ódio motiva nossas ações, nos entregamos à **raiva**.

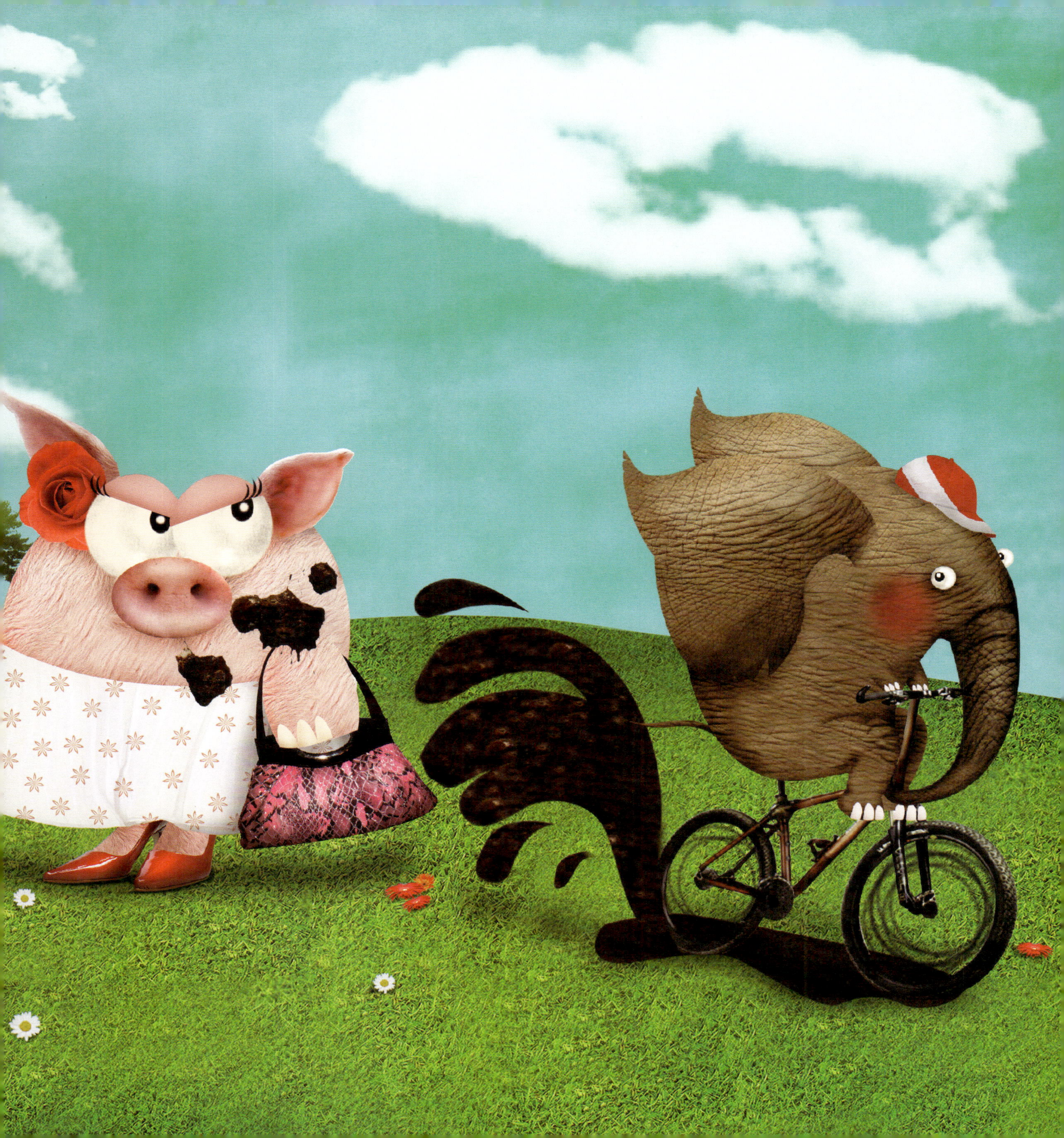

Raiva

Também conhecida como "ira", "cólera" ou "fúria".

A raiva é passageira: ela nos domina e depois vai embora quase sem percebermos. Em geral, sentimos raiva em situações que consideramos injustas ou que ameaçam o nosso bem-estar.

A raiva serve para alguma coisa?

A raiva nos avisa que estamos diante de injustiças ou agressões e nos dá a energia necessária para agir. No entanto, ela bloqueia nossa capacidade de pensar com clareza e pode nos fazer reagir como um animal sendo atacado.

Mas como não vivemos entre animais selvagens, essas reações podem nos meter em encrencas. Por isso, é melhor evitar que a raiva assuma o controle nos momentos em que, por exemplo, sentimos um pouquinho de **irritação**.

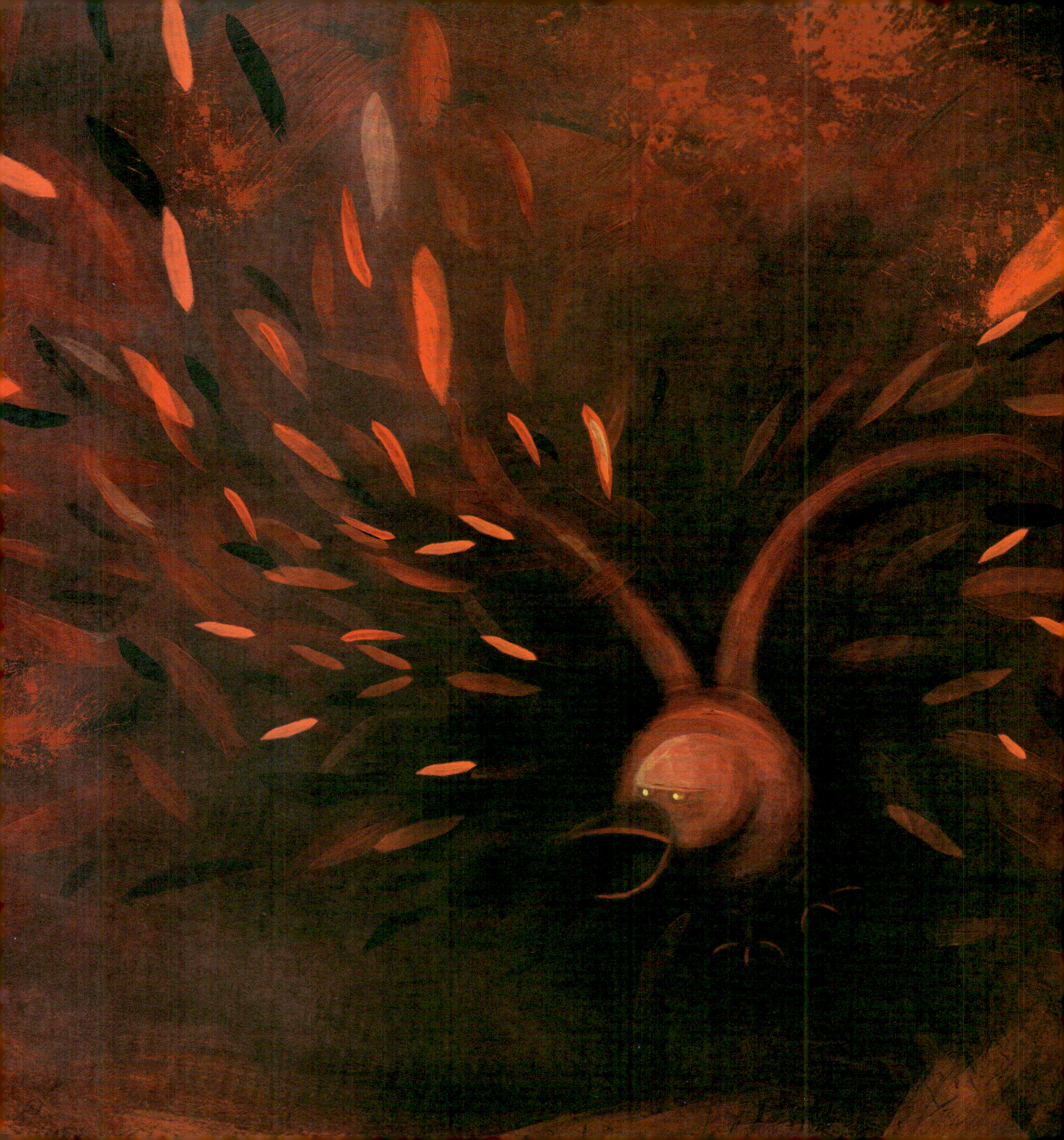

Irritação

O mundo está repleto de cores, sons e odores... Uns nos agradam; outros, nem tanto. Alguns nos deixam irritados – nos incomodam de tal forma que invadem a nossa mente e não conseguimos parar de pensar neles.

O latido de um cachorrinho pode despertar nossa ternura. Mas e se ele ficar latindo o dia inteiro?

O que acontece quando nos irritamos?

Quando alguma coisa nos irrita, não conseguimos parar de prestar atenção nela. Algo incômodo passa a ser irritante quando achamos que não podemos mais suportá-lo.

Uma irritação muito prolongada nos leva à **tensão**.

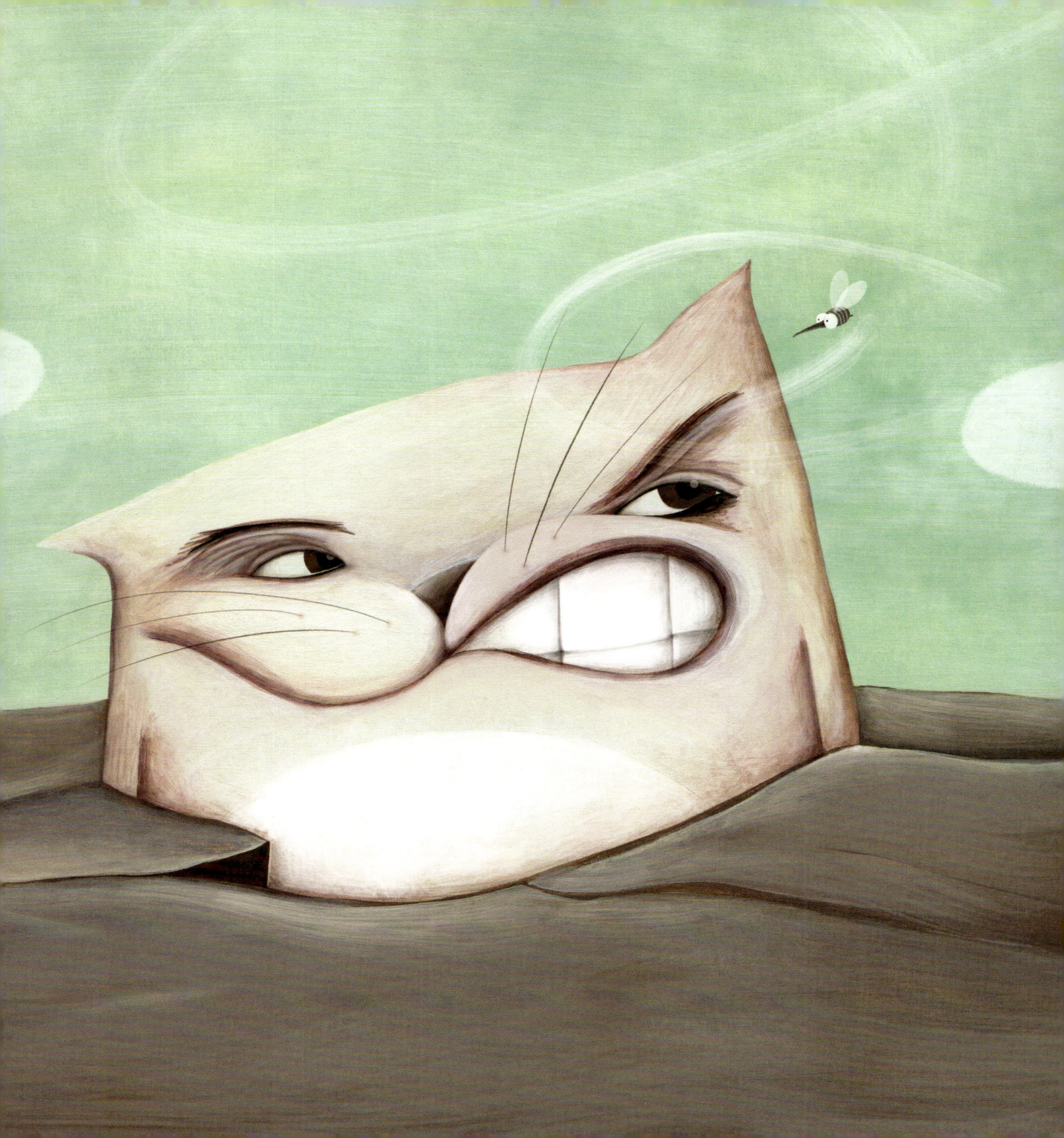

Tensão

Algumas pessoas a chamam de "estresse".

A tensão nasce quando enfrentamos situações que consideramos ameaçadoras, como, por exemplo:

– mudar de casa ou de escola;

– estar no meio de uma discussão acalorada;

– não ter estudado a matéria quando o professor começa a nos fazer perguntas.

Também podemos ficar tensos ou estressados quando o que queremos fazer está em conflito com os desejos de outra pessoa. Por exemplo, quando você quer dormir e seu vizinho quer tocar bateria.

O que acontece quando ficamos tensos?

Ficamos nervosos, impacientes e perdemos a calma com facilidade.

Ao conversar com alguém em quem confiamos sobre o que está nos causando tensão, sentimos um grande **alívio**.

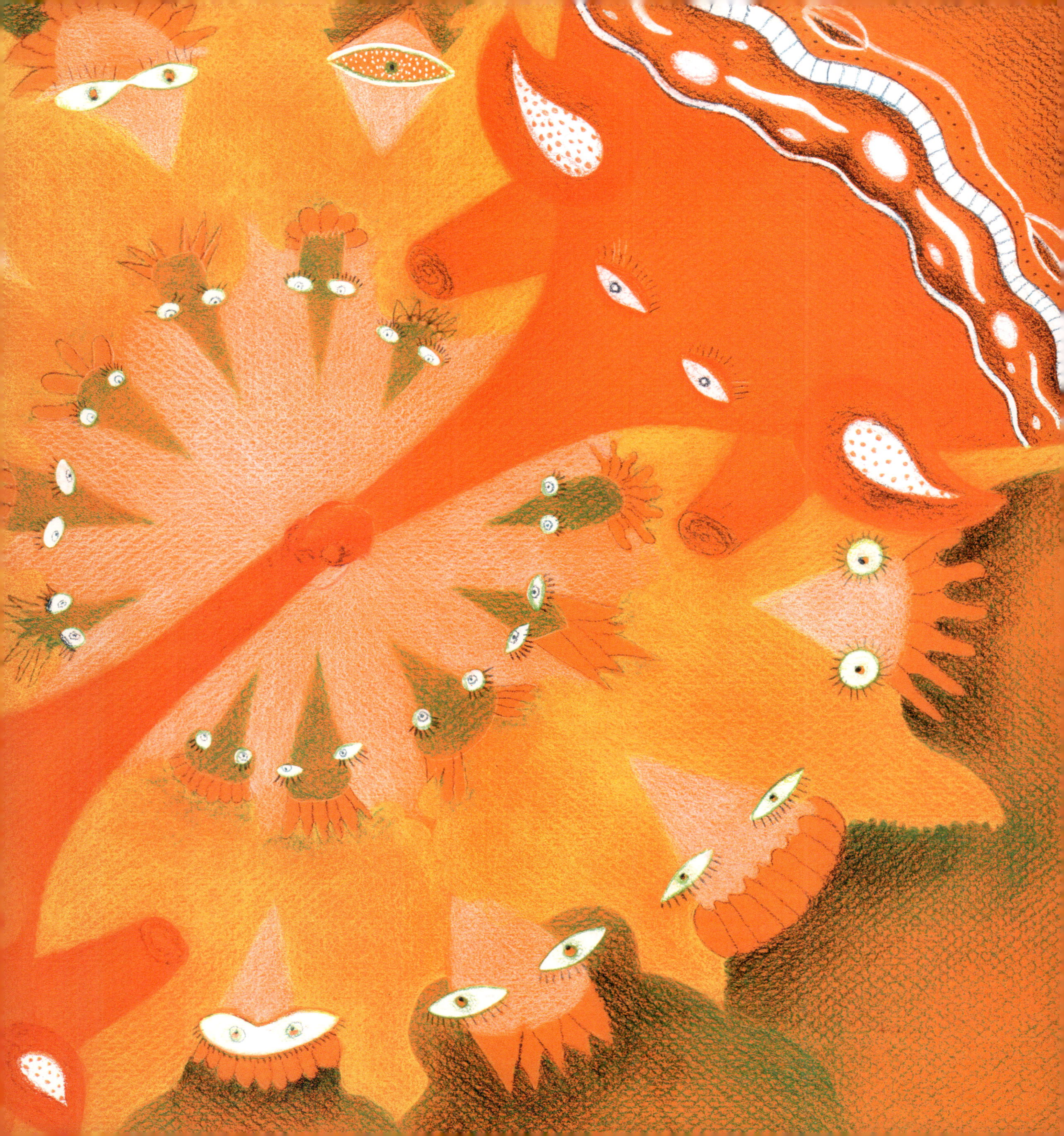

Alívio

Experimentamos a sensação de alívio quando nos livramos de um peso, quando deixamos de nos sentir ameaçados ou quando pedimos desculpas. Por exemplo, você se sente aliviado ao terminar uma prova, ao ver que algum perigo já passou ou ao reconhecer um erro.

O alívio significa que uma sensação ou situação desagradável ficou para trás.

Como sabemos que estamos aliviados?

O alívio costuma vir acompanhado de um relaxamento.

Depois que as dificuldades já passaram, voltamos a nos sentir tranquilos e em paz. Esse é o caminho em direção à **serenidade**.

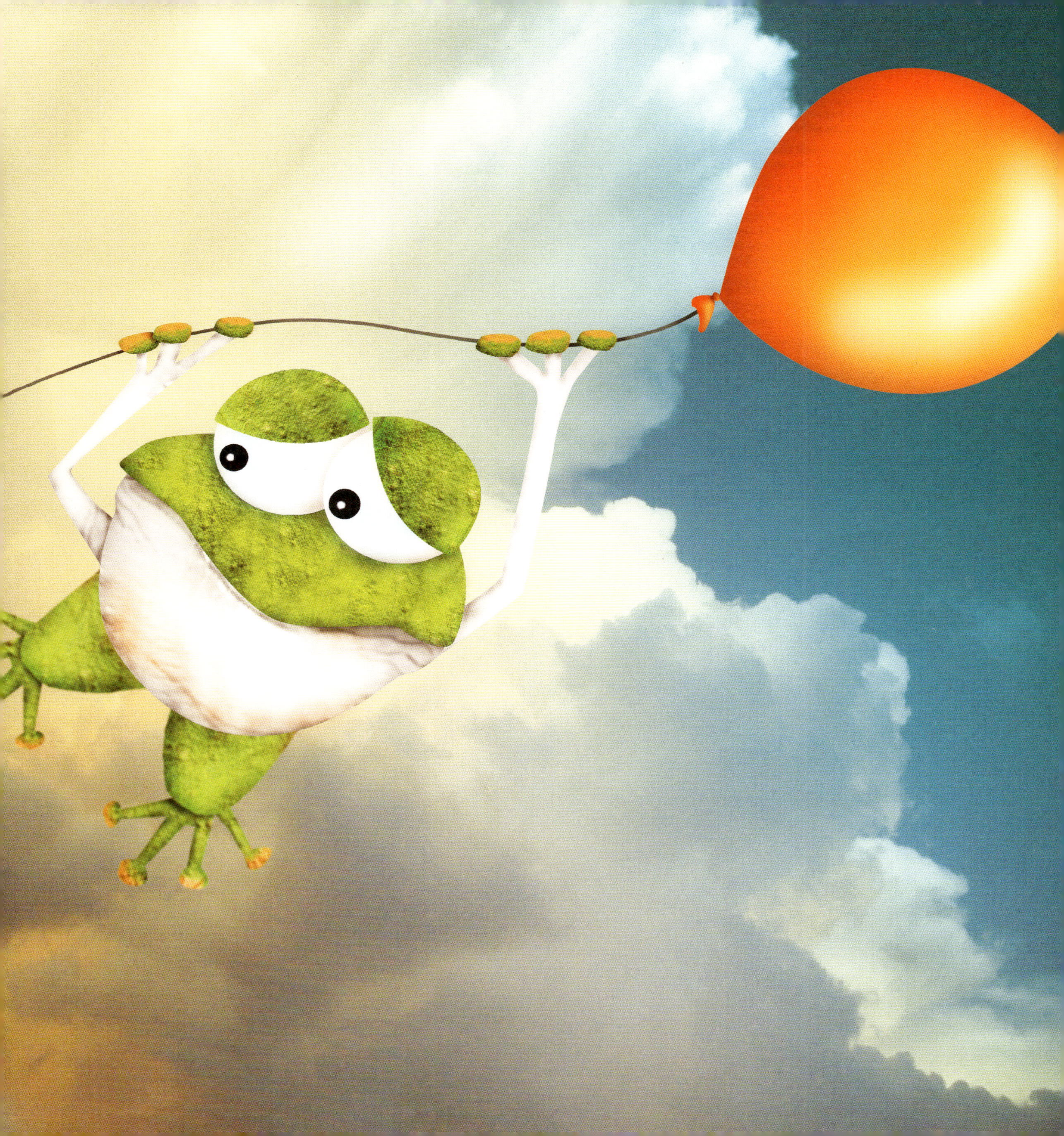

Serenidade

A serenidade é uma sensação de calma e harmonia. Ela nasce no fundo do seu ser, mas costuma se manifestar no olhar.

Uma pessoa serena é tranquila, delicada e sempre pede o que deseja com amabilidade e doçura.

A serenidade ilumina a mente?

Sim. Ela proporciona uma forma especial de enxergar as coisas. É como um superpoder que lhe permite ver os acontecimentos com mais clareza. Graças a ela você consegue, por exemplo, perceber que algo que o deixou com raiva não era tão grave assim.

A propósito, a serenidade pode ser exercitada como se fosse um músculo. Treiná-la ajuda você a despertar para a **felicidade**.

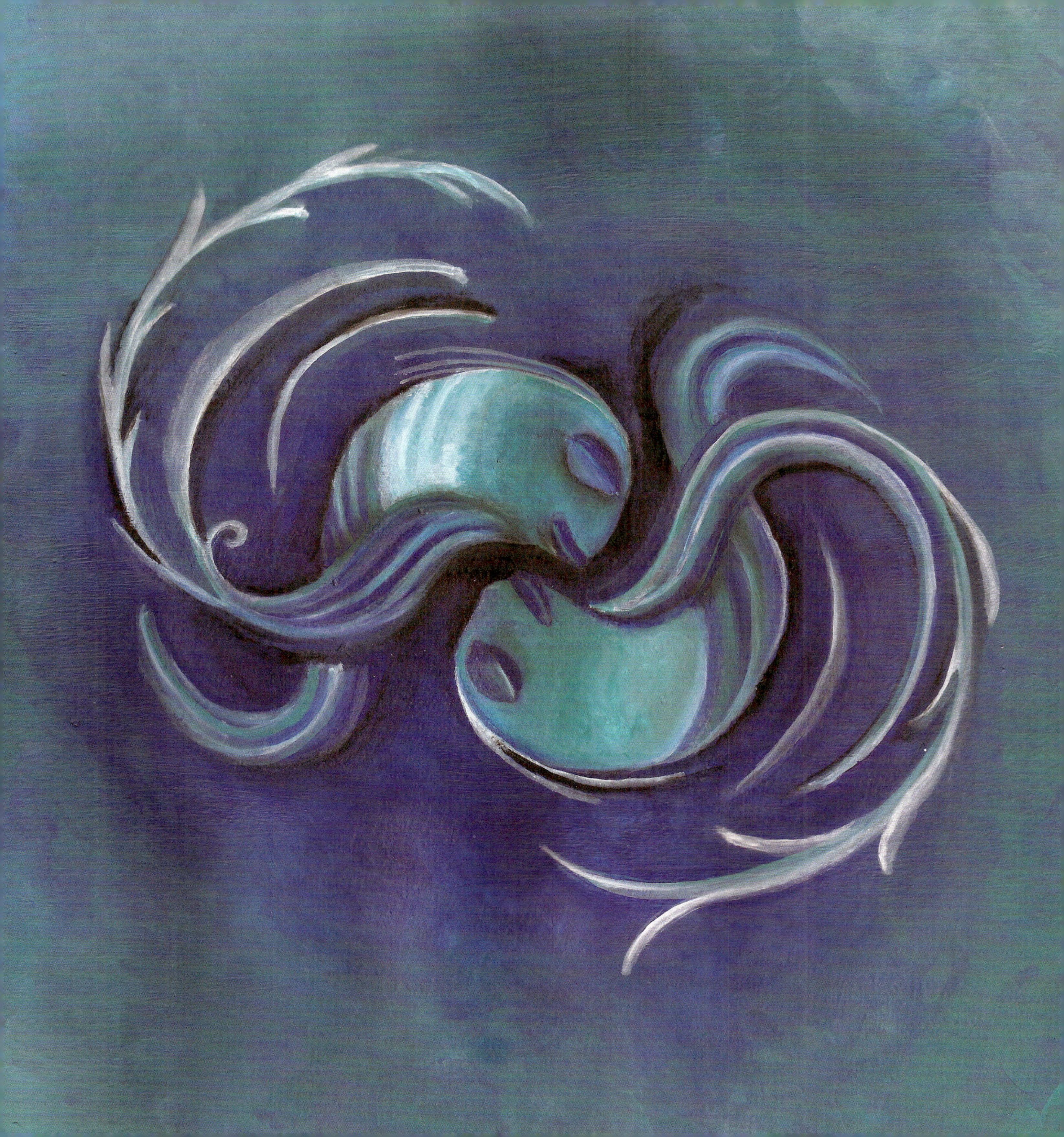

Felicidade

A felicidade é diferente para cada pessoa. Ficamos felizes quando usamos nossos talentos e habilidades para realizar coisas em que somos bons ou que gostamos de fazer.

O que pode nos trazer felicidade?

Plantar uma árvore, completar um quebra-cabeça, assar um bolo, montar um móvel, escrever um poema, resolver problemas de matemática... Muitas atividades podem deixá-lo feliz se você as encarar como uma oportunidade para curtir o que está fazendo.

A felicidade é uma sensação de satisfação com a pessoa que você é. Não a confunda com a **alegria**.

Salida

Alegria

Alguns a chamam de "deleite" ou "contentamento".

A alegria é causada por algo prazeroso e, por isso, é especialmente agradável.

O que a difere da felicidade é que a alegria dura pouco. Mesmo assim, as pessoas podem ter muitos momentos alegres durante o dia.

O que acontece nesses momentos?

Somos invadidos por um entusiasmo divertido. Nossa energia aumenta e pensamos de maneira mais positiva.

O contrário da alegria é a **tristeza**.

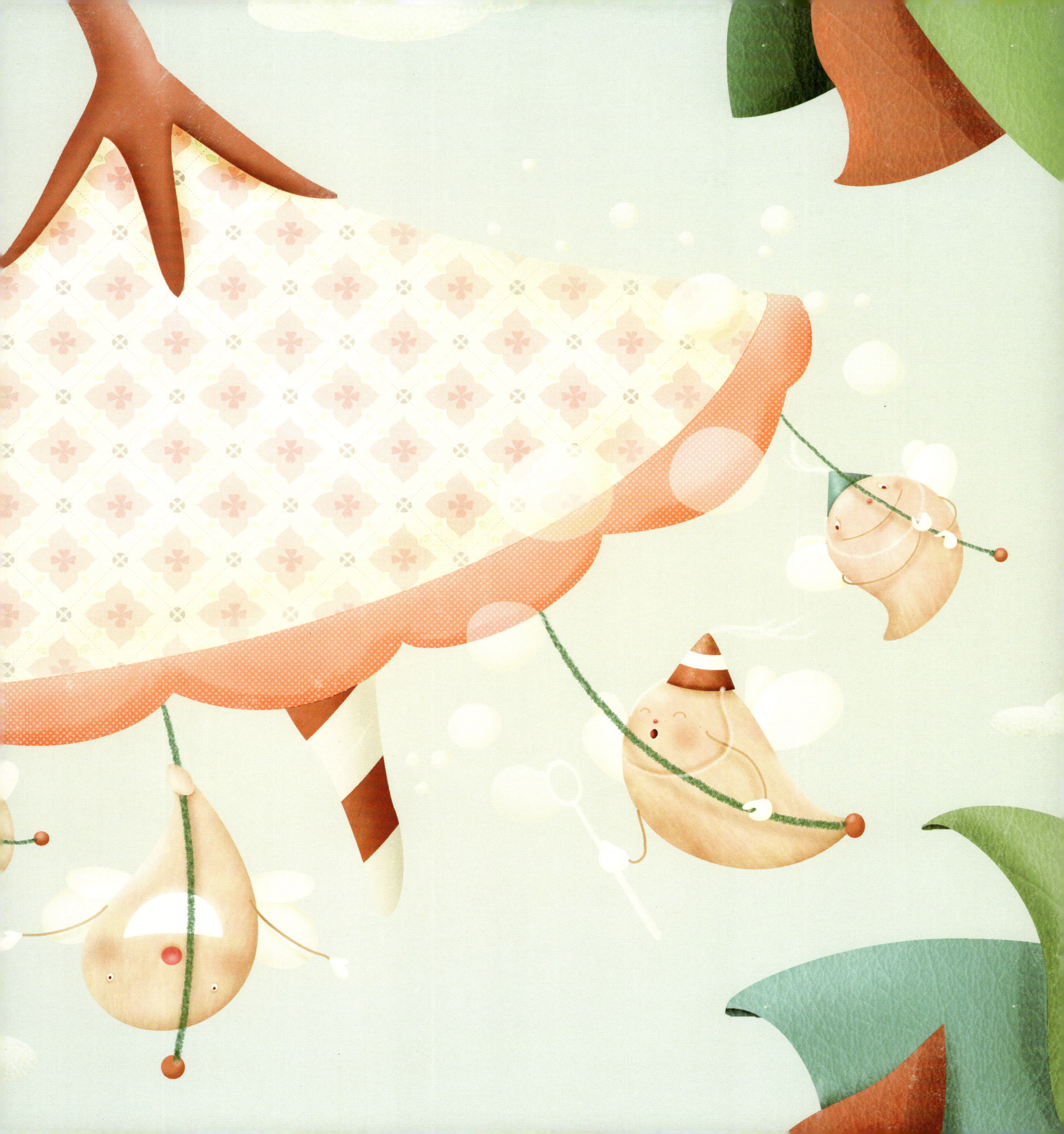

Tristeza

A tristeza é a diminuição geral de nossa energia e de nosso estado de ânimo. Quando estamos tristes, perdemos o apetite, as forças, o desejo, a motivação, a vontade de viver.

A tristeza é como um véu que envolve a nossa vida e a torna cinzenta.

O que causa tristeza?

As pessoas não ficam tristes pelos mesmos motivos. Porém, é comum sentir tristeza quando nos decepcionamos ou perdemos algo que era importante para nós. Imagine que você precise se mudar para outra cidade. É provável que a perspectiva de novidade até desperte a sua curiosidade, mas você sentirá tristeza pelos amigos que vai deixar para trás.

A tristeza é uma das faces da **compaixão**.

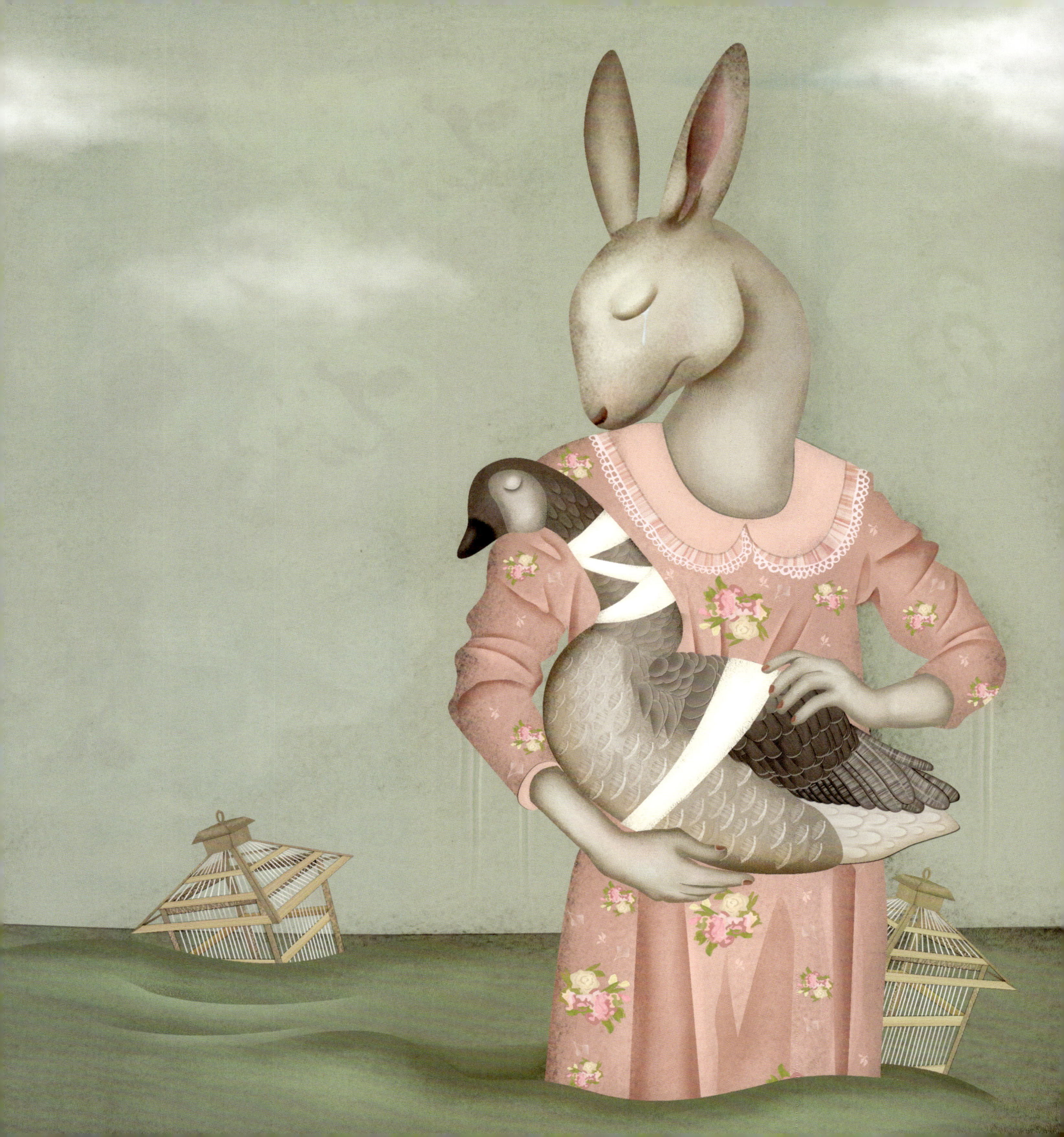

Compaixão

Há quem a chame de "piedade", "empatia" ou "comiseração".

Compaixão é o pesar que sentimos pelo infortúnio de alguém.

O que a compaixão nos motiva a fazer?

Ela nos motiva a ajudar quem está sofrendo, seja um parente ou um desconhecido. Pode ser despertada até mesmo por um personagem fictício, como uma raposa que perdeu toda a família. A compaixão provoca em nós o desejo de abraçar o outro e aliviar sua tristeza.

Se alguém está se sentindo triste e não o ajudamos, é muito provável que entremos no território do **remorso**.

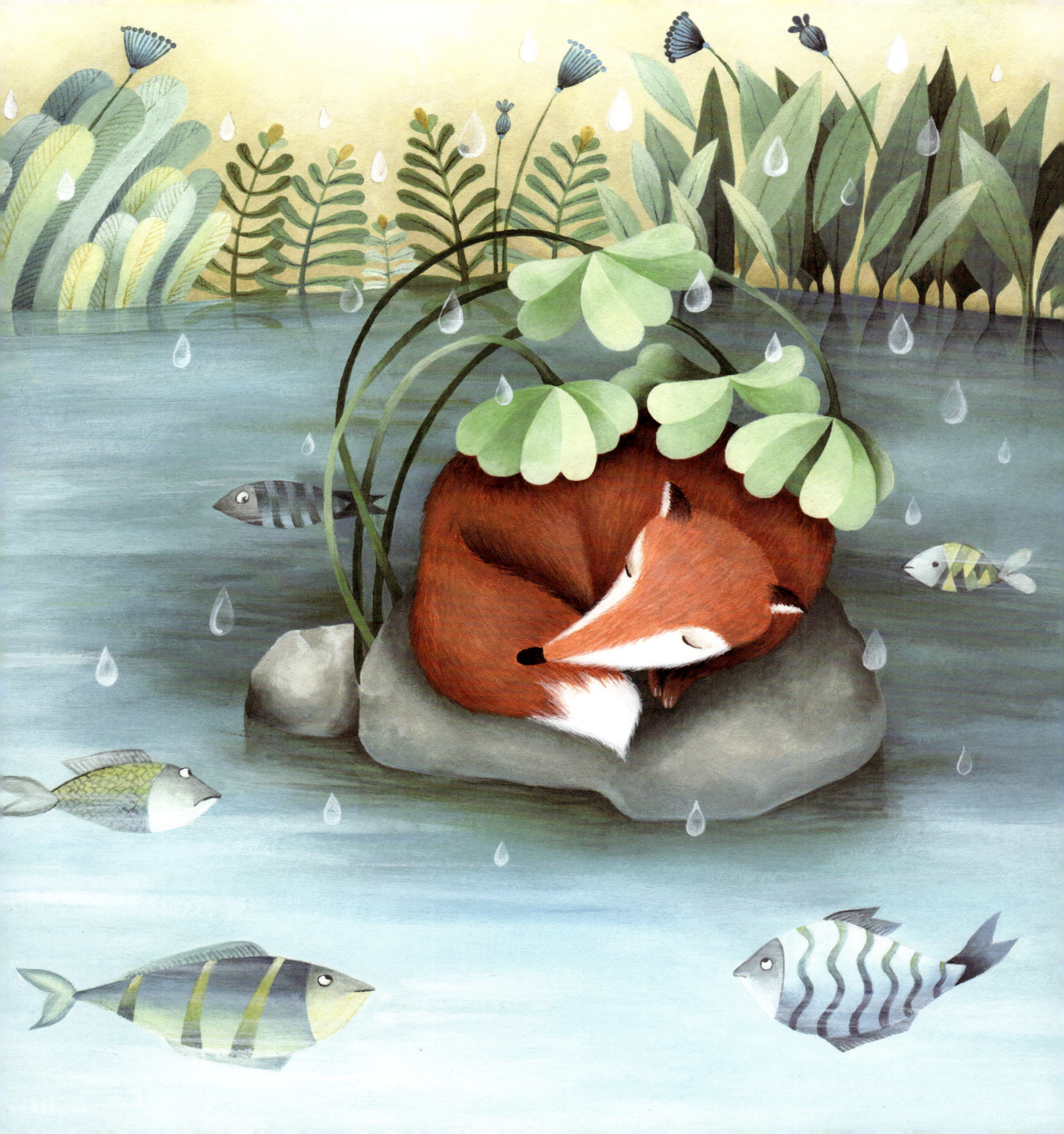

Remorso

Algumas pessoas o confundem com o arrependimento.

O arrependimento é o mal-estar que às vezes sentimos depois de praticar alguma ação, seja ela boa ou má. Já o remorso surge apenas quando fizemos algo que sabemos que é errado.

Por exemplo, você pode se arrepender de ter recusado o chocolate que seu irmão lhe ofereceu. Mas com certeza sentiria remorso se comesse alguns pedaços escondido.

Como o remorso funciona?

De forma simples, mas contundente: ele não nos deixa pensar em nada além daquilo que fizemos de errado. Começa com um pequeno desconforto que pouco a pouco vai crescendo dentro de nós.

Esse mal-estar que fica nos remoendo é a **culpa**.

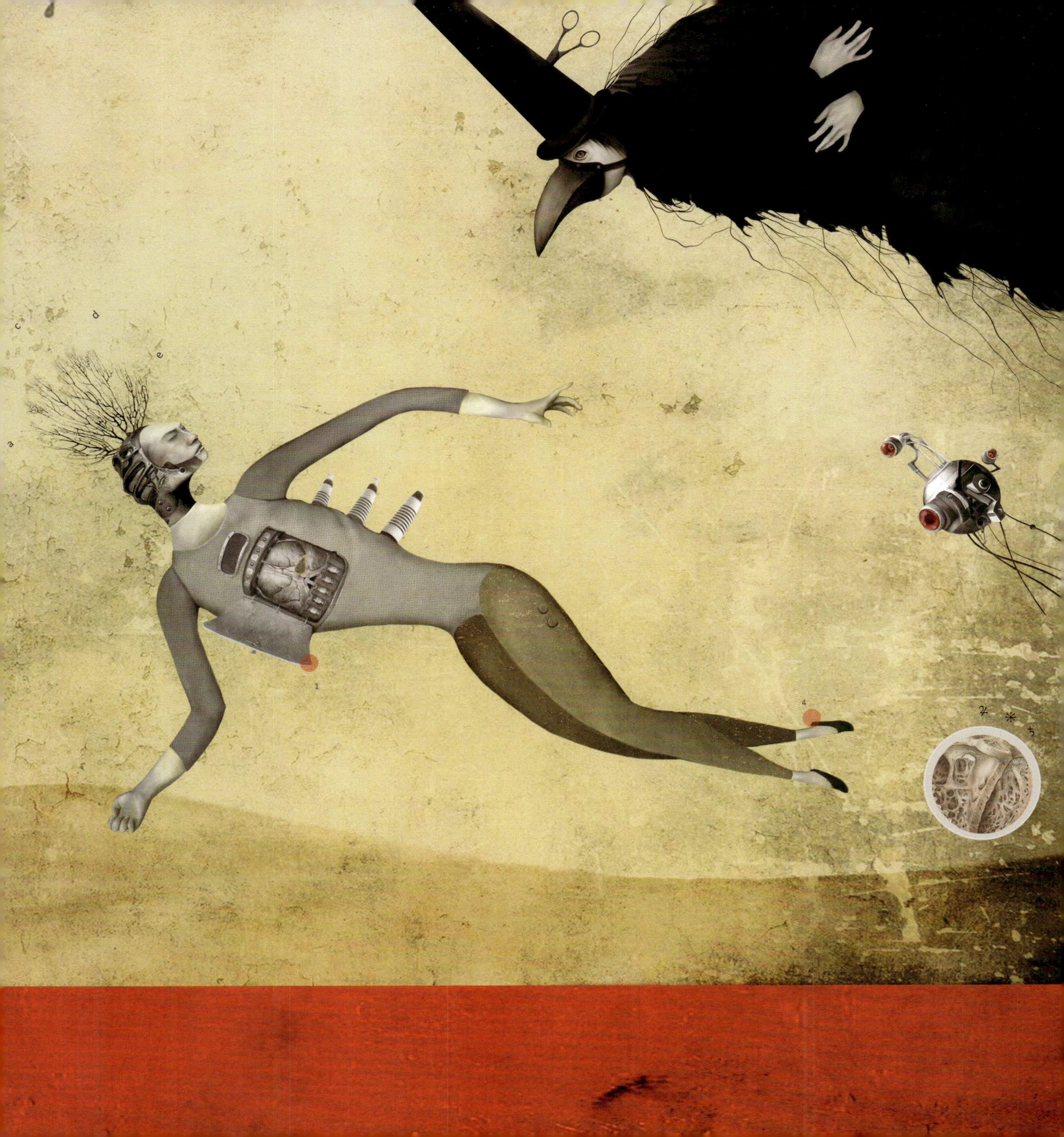

Culpa

A culpa nos invade quando acreditamos ter feito alguma coisa ruim. É o termômetro das nossas ações – ela nos ajuda a definir o que consideramos certo ou errado. Além disso, ela nos permite avaliar o nosso comportamento.

Podemos ouvir a culpa?

Quando você faz algo que sabe que não é certo, uma voz interior fala com você. Escute o que ela diz, pois essa voz é a sua consciência questionando se você agiu da maneira correta. No fundo, você sabe o que considera apropriado ou não, mesmo que às vezes não queira admitir.

A culpa mostra que somos responsáveis pelas nossas ações e nos torna capazes de julgá-las. Se chegarmos à conclusão de que fizemos algo de errado, provavelmente sentiremos **vergonha**.

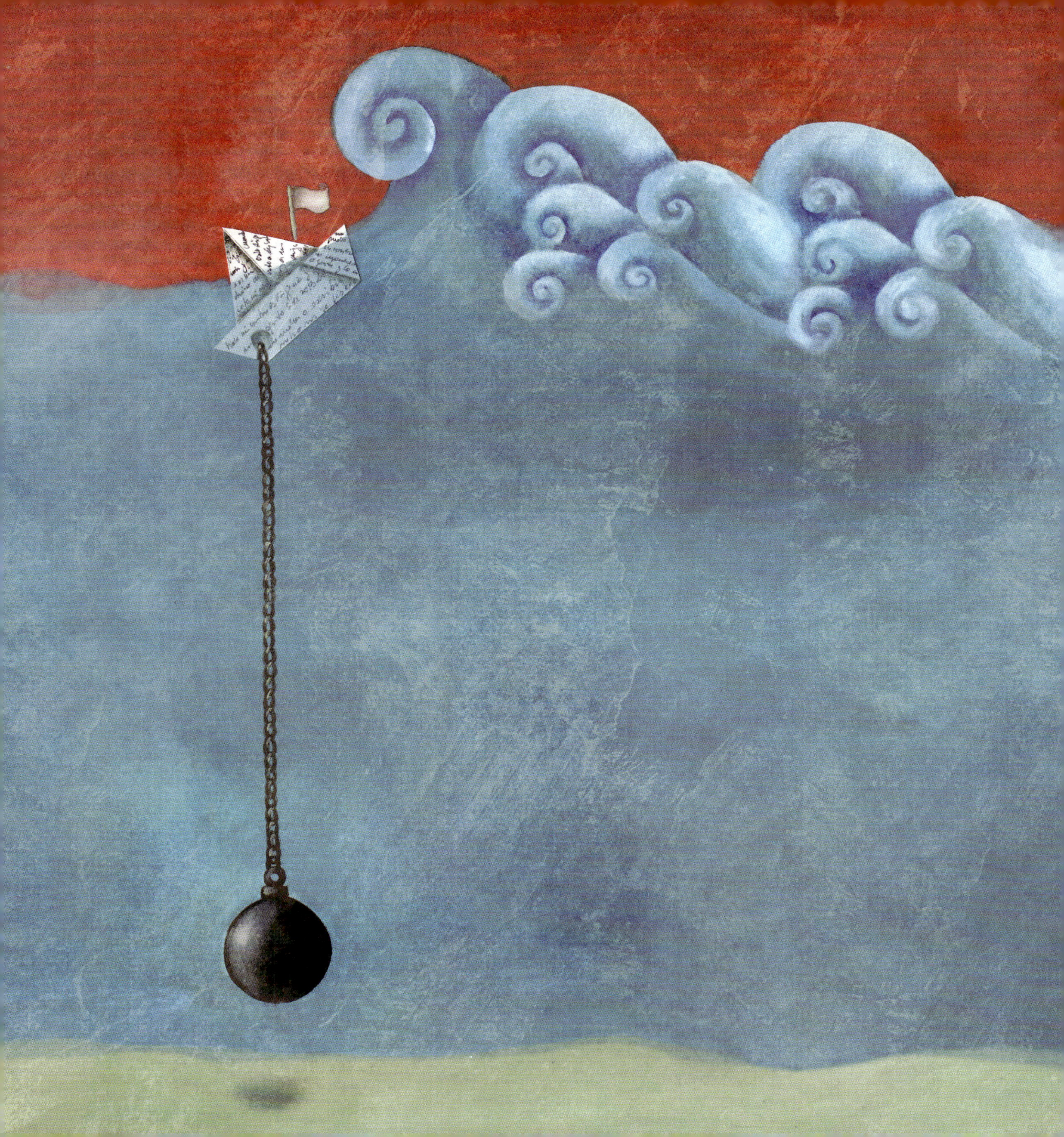

Vergonha

A vergonha aparece de surpresa. Costumamos senti-la quando sabemos que fizemos algo de errado ou quando achamos que vão zombar da gente.

Pode parecer estranho, mas também podemos sentir vergonha por algo que outra pessoa fez.

É possível esconder a vergonha?

Não. Infelizmente a vergonha é muito indiscreta. Ela tem a mania de contar a todo mundo que você sabe que não agiu bem ou que não está à vontade, fazendo com que a sua cara fique vermelha.

O fato de todos saberem que você está envergonhado pode provocar **insegurança**.

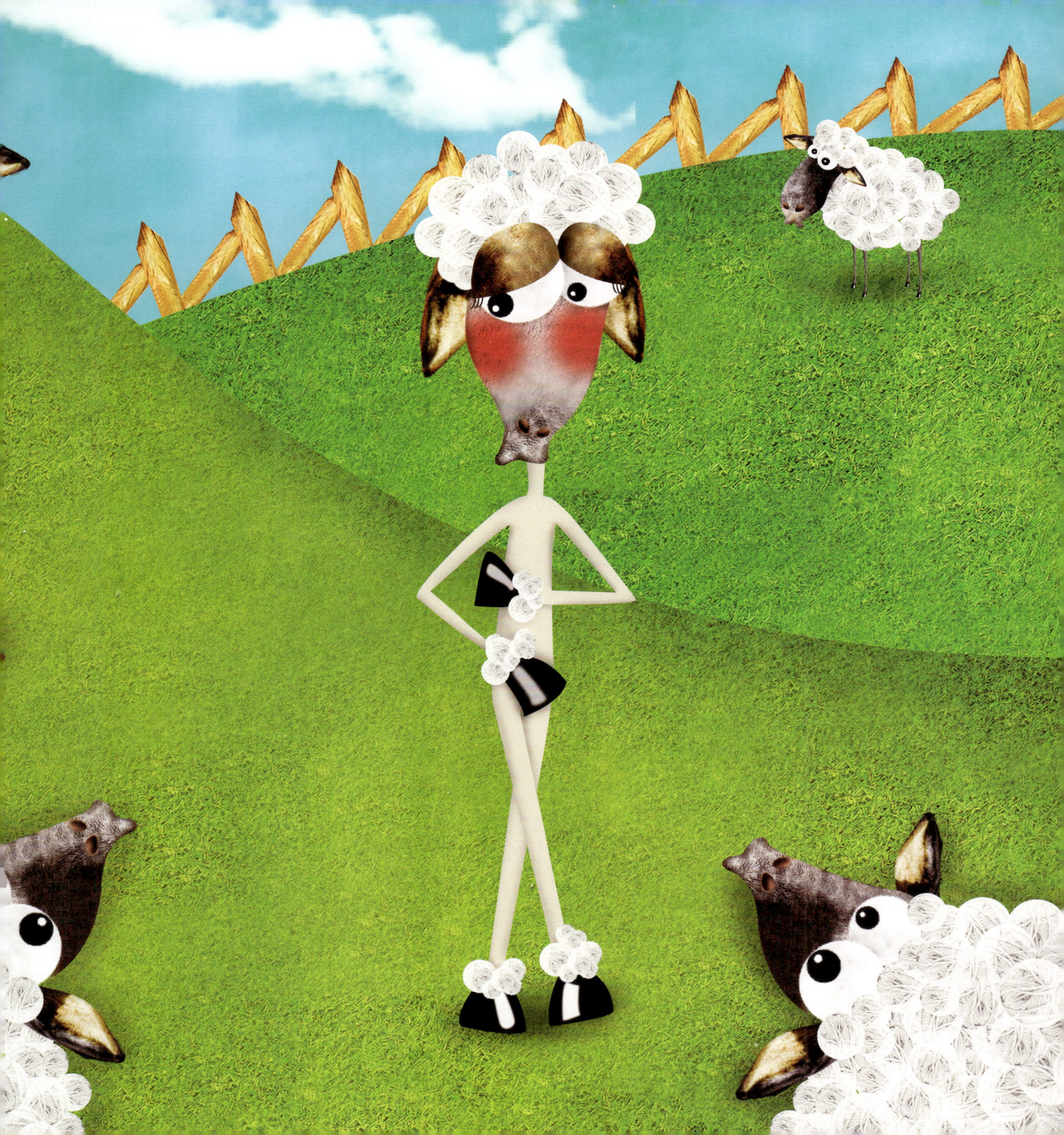

Insegurança

A insegurança é a falta de confiança. Pode nos faltar confiança tanto em nós mesmos quanto nos outros.

Imagine que você está a bordo de um veleiro e o mar está muito agitado. Se não se considerar um bom nadador, se sentirá inseguro. Se não confiar no capitão do barco, também.

O que acontece quando nos sentimos inseguros?

Quando ficamos inseguros, adotamos mecanismos de defesa. Se você não estiver seguro de sua capacidade para nadar, poderá entrar em pânico (embora essa reação não ajude em nada). Se não confiar num amigo, terá vontade de afastá-lo para se sentir a salvo.

Às vezes, por insegurança, agimos com **timidez**.

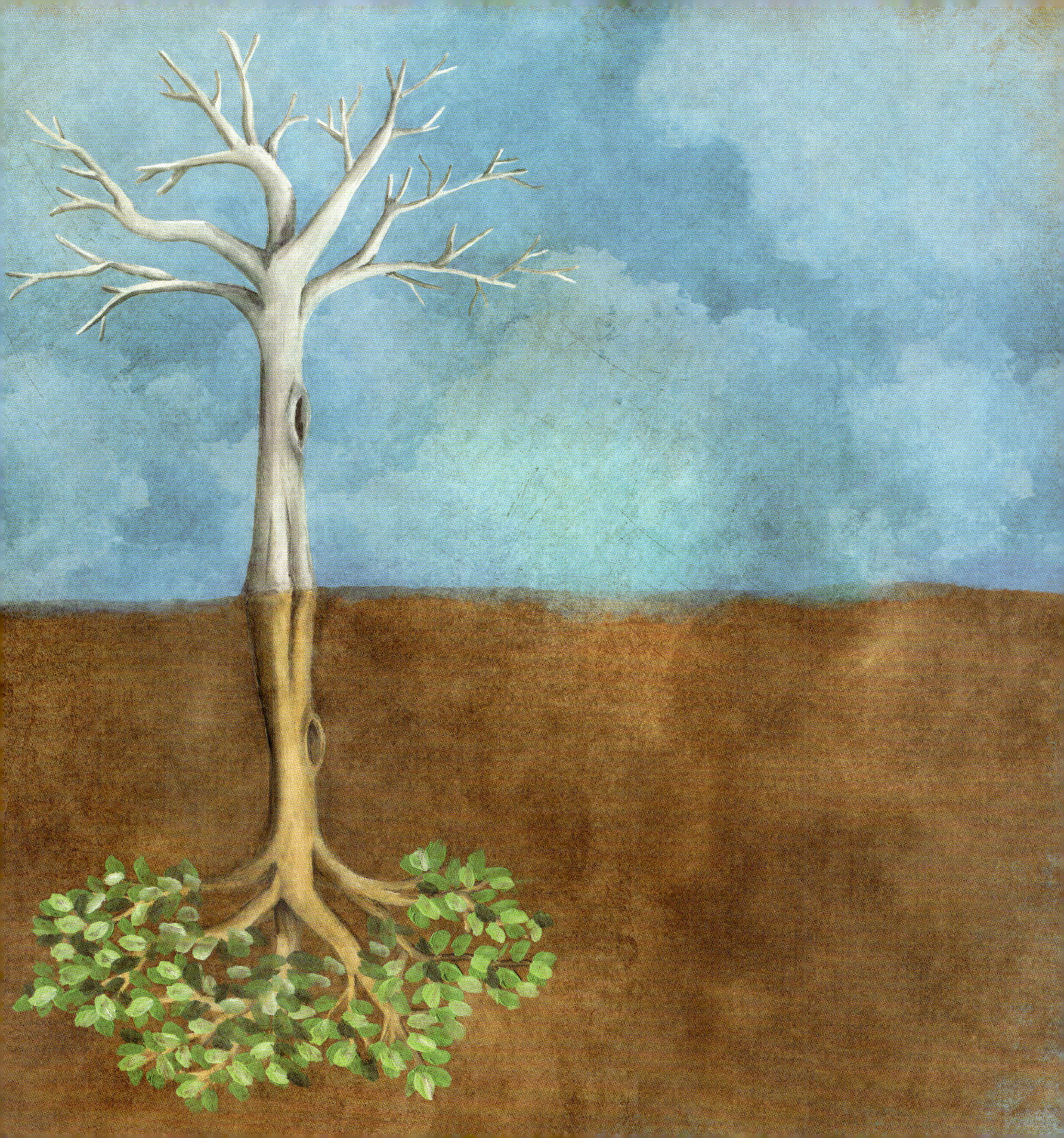

Timidez

A timidez é um bloqueio que nos impede de nos comportarmos com naturalidade. Ela costuma nos dominar diante de pessoas desconhecidas, pouco confiáveis ou ameaçadoras.

O que uma pessoa tímida sente?

Uma pessoa tímida se sente desconfortável e desajeitada. Então, por medo de fazer algo errado, não diz nada, fica quieta e tenta passar despercebida.

Imagine que você tenha que passar a noite na casa de vizinhos idosos. Ainda que eles sejam carinhosos, é possível que você fique calado no canto do sofá, pouco à vontade. Você pode até mesmo ser tomado por uma sensação de **confusão**.

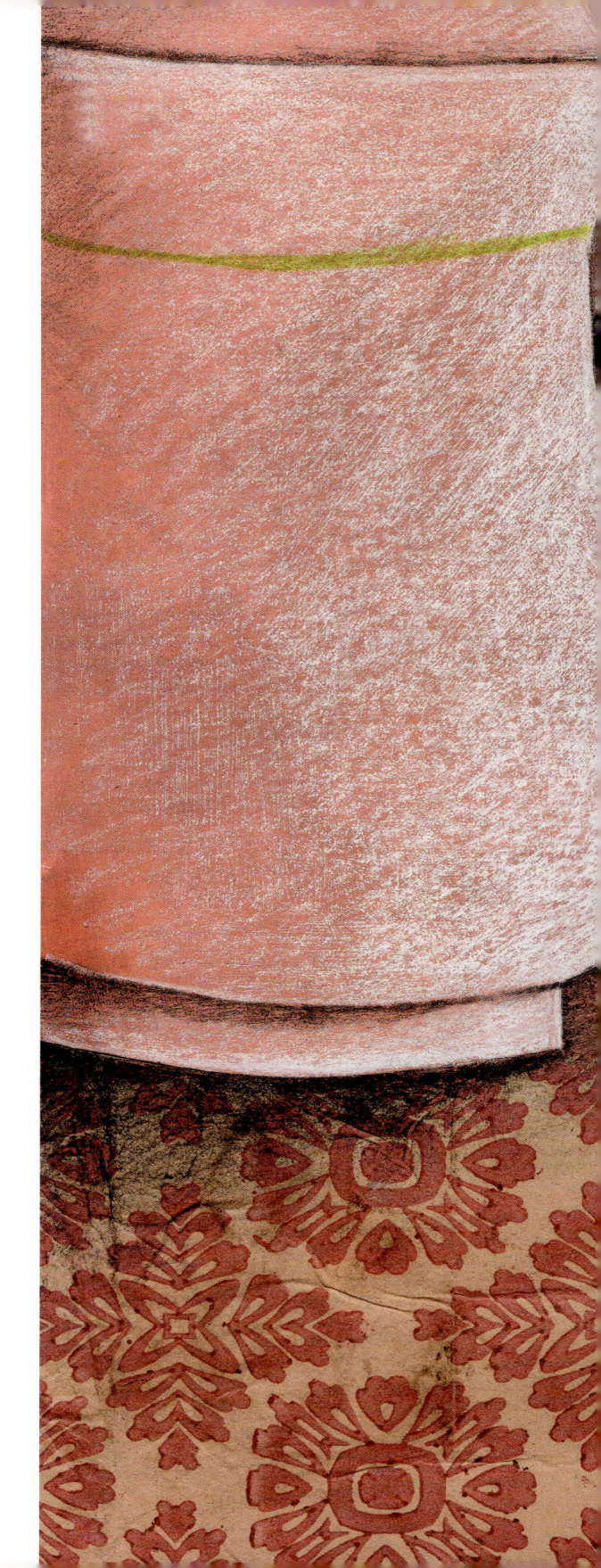

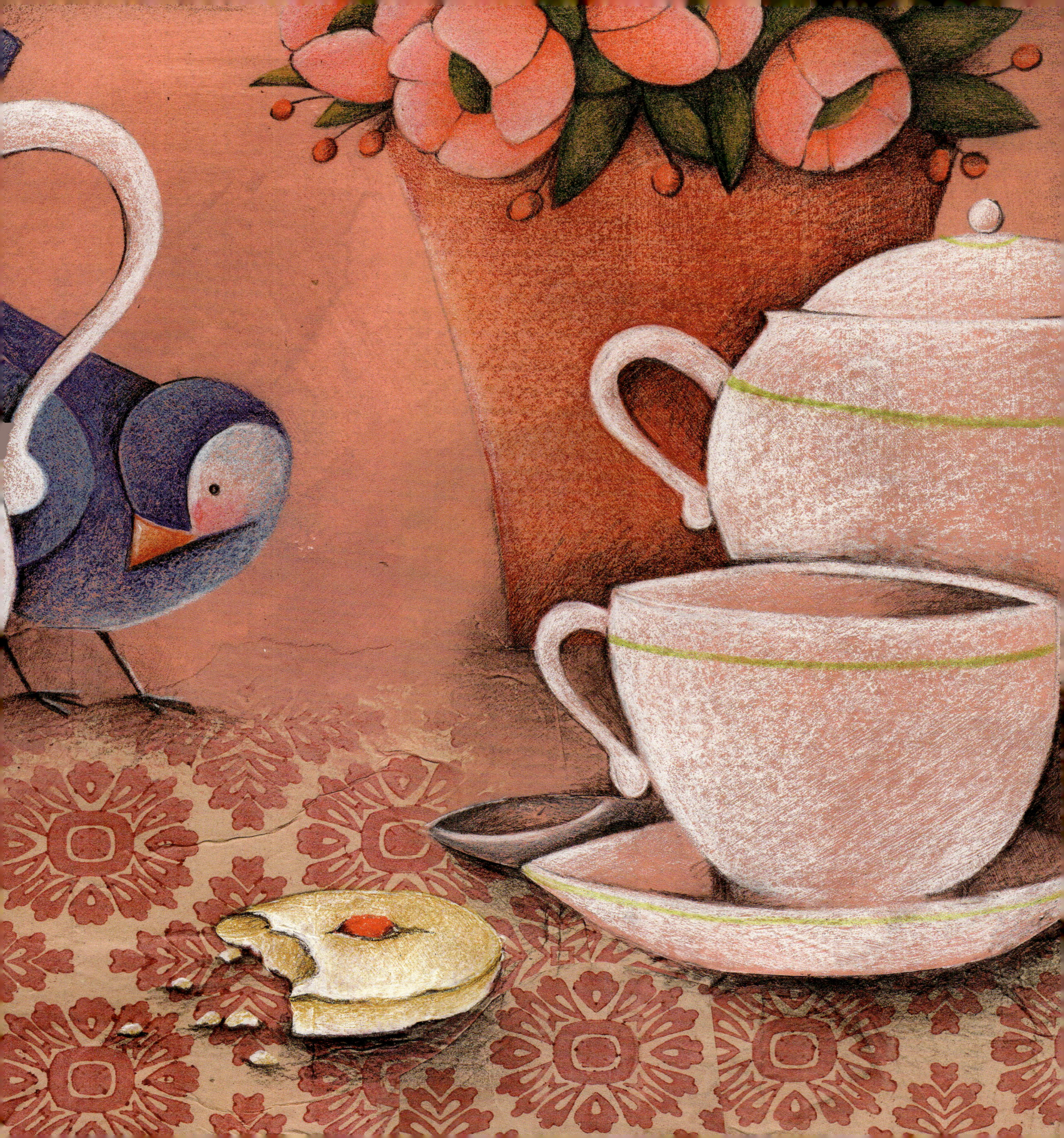

Confusão

A confusão é uma mistura de sentimentos. Imagine que o seu gatinho fez xixi no seu brinquedo favorito: talvez você tenha raiva, mas também sinta ternura.

Experimentamos confusão diante da desordem ou de algo que não conseguimos entender completamente. E isso nos paralisa. Às vezes podemos sentir admiração e tristeza, prazer e inveja, tudo ao mesmo tempo.

Como saber se estamos confusos?

Quando estiver confuso, você não vai saber ao certo o que está sentindo. Mas fique tranquilo, pois isso acontece com todo mundo. Tente descobrir quais emoções estão presentes no momento.

A confusão, imprevisível e caótica, pode levar ao **medo**.

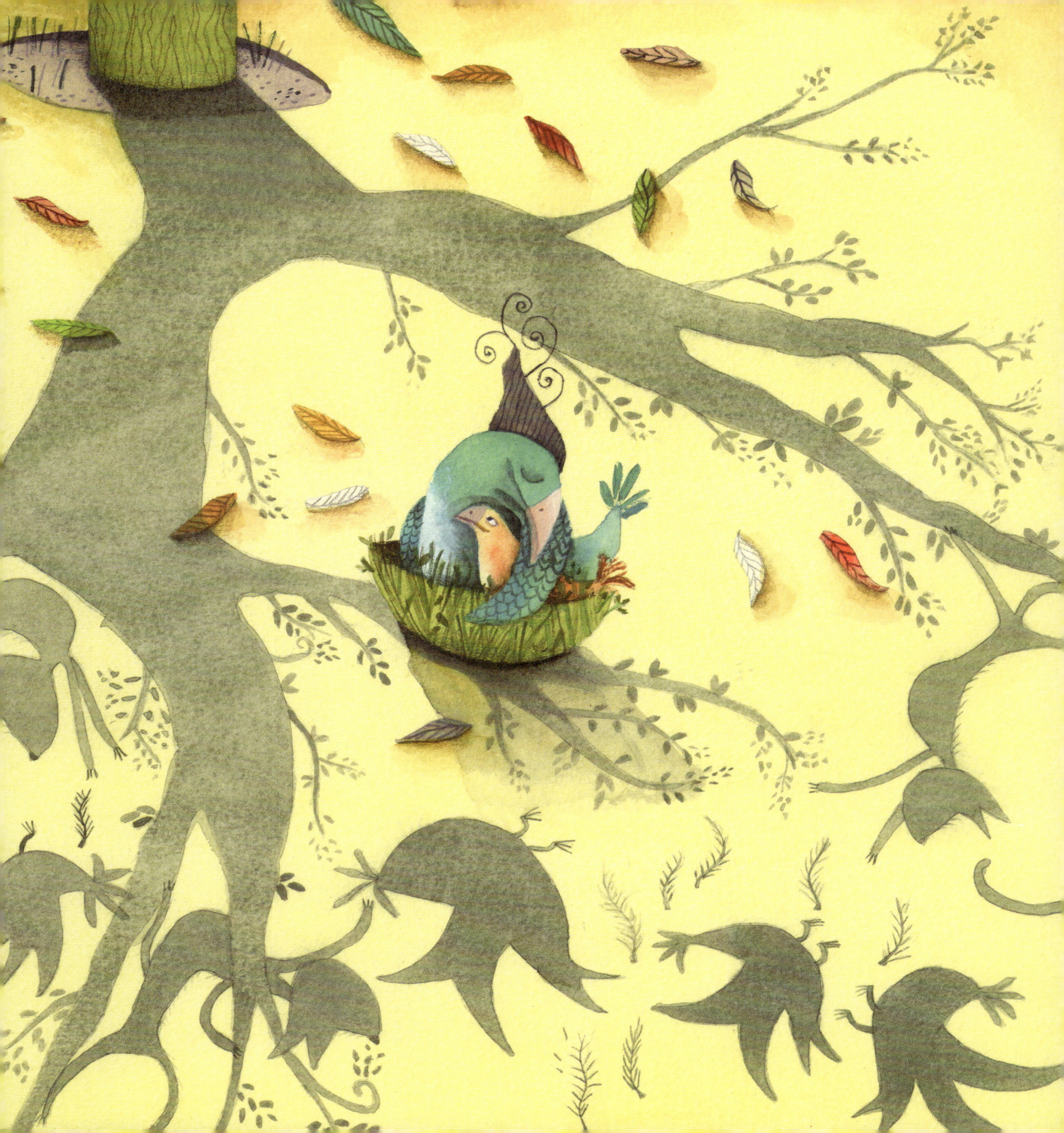

Medo

Também conhecido como "temor".

O medo surge quando você acredita que vai sofrer algum tipo de dano.

Quando o medo aumenta demais, ele se converte em pavor e você perde o controle. O medo pode servir para nos deixar alerta diante do perigo. Já o pavor nos paralisa e nos impede de pensar.

O que acontece quando sentimos medo?

Os olhos ficam maiores para podermos ver melhor. Além disso, o coração bombeia mais sangue para as pernas para podermos fugir, como se estivéssemos sendo perseguidos por um dragão.

Normalmente o desconhecido nos causa medo, mas também pode causar **perplexidade**.

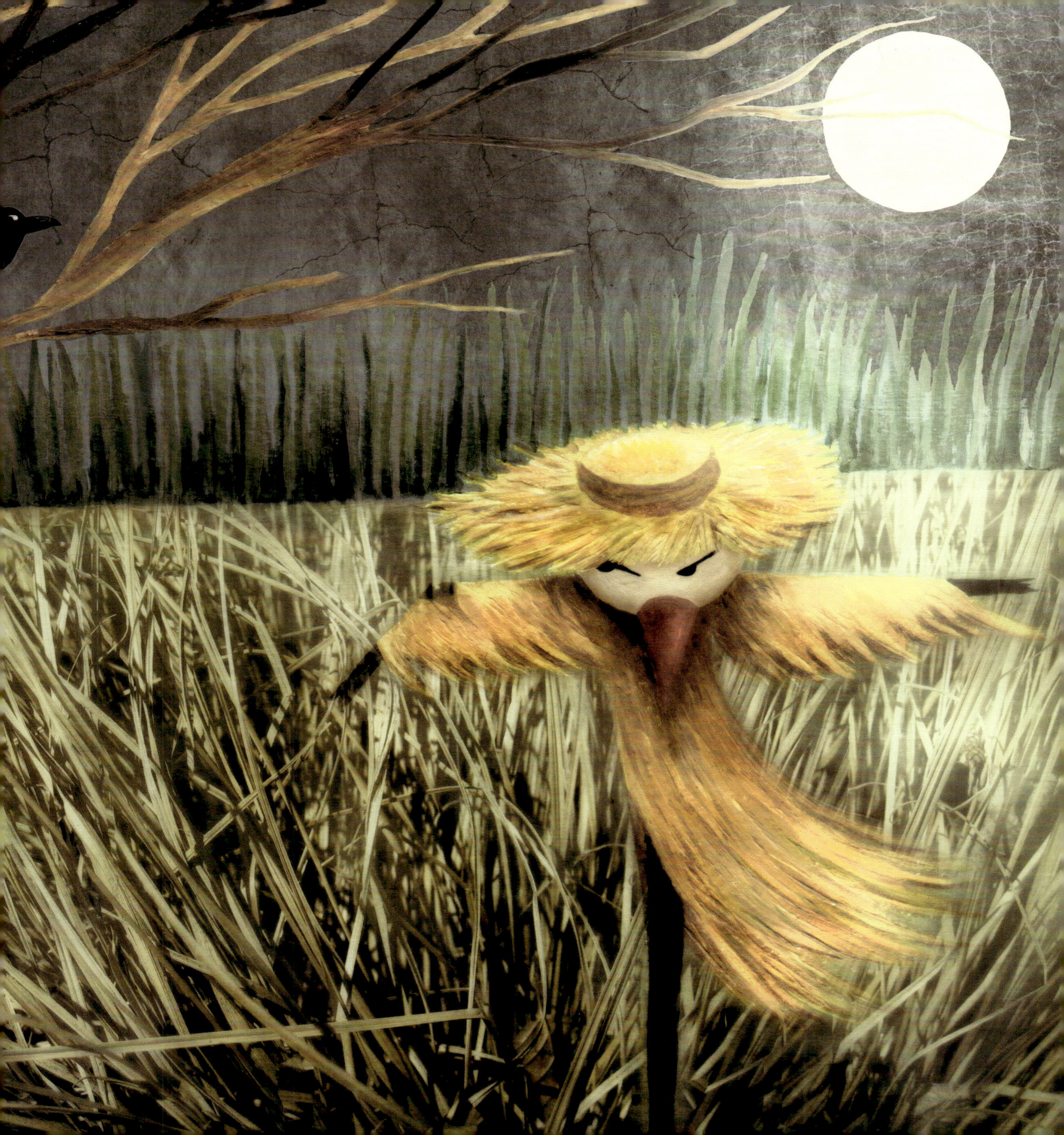

Perplexidade

Também chamado de "surpresa" ou "espanto".

Ficamos perplexos quando algo que considerávamos impossível se mostra verdadeiro.

A perplexidade nos indica que o mundo é um lugar a ser descoberto, que há espaço para o desconhecido e para a magia. Ela nos revela que estamos rodeados de pessoas e coisas fascinantes.

De onde vem a perplexidade?

A perplexidade vem da inocência e da curiosidade. Quando você está perplexo, é porque acreditava que algo não fosse possível. Então logo percebe que estava errado, fica maravilhado e se pergunta: "Mas como...?"

Quando vem acompanhada de uma sensação de repulsa, a perplexidade pode se converter em **aversão**.

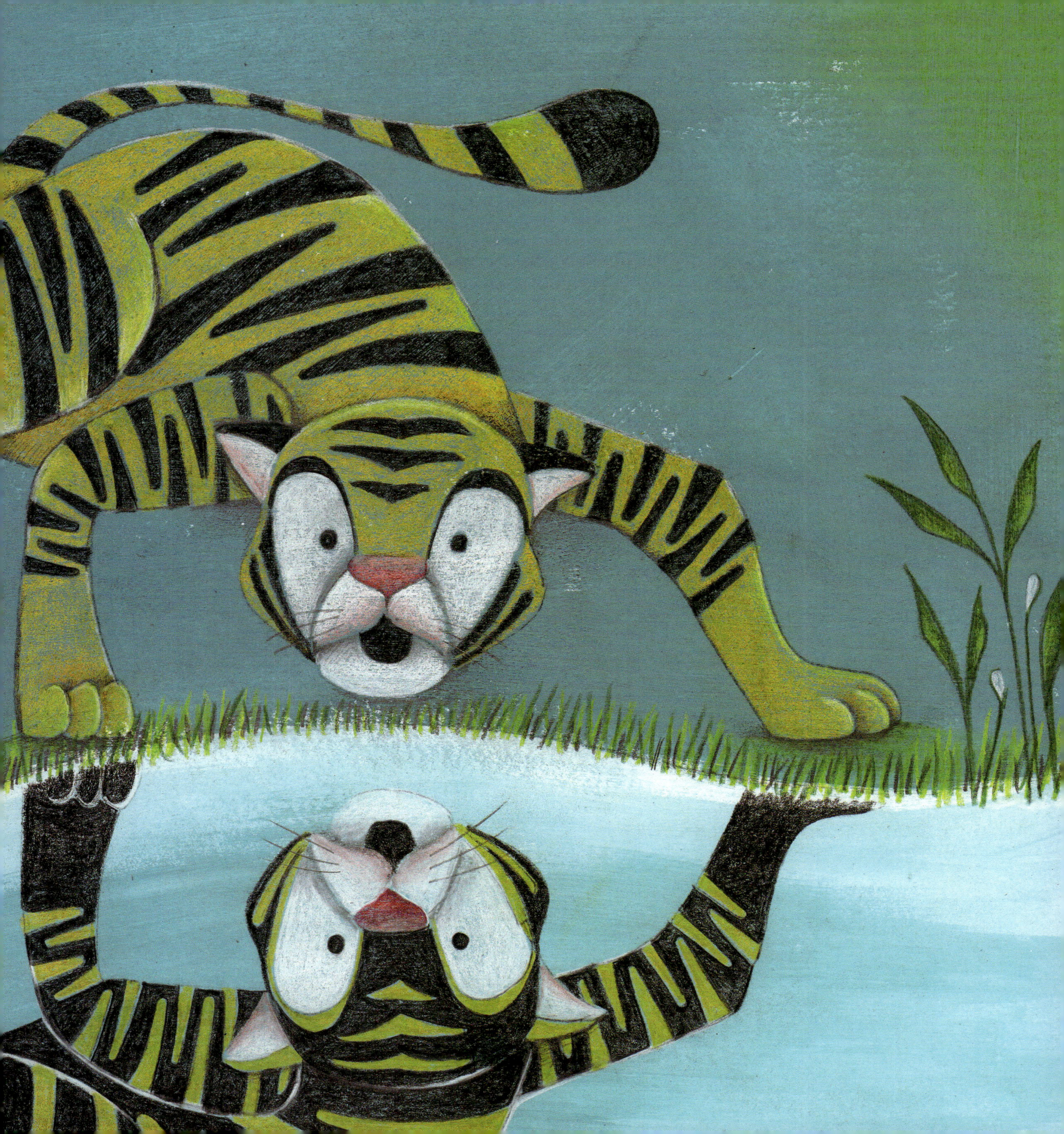

Aversão

É o desprazer que nos causa algo que consideramos repugnante.

Se perguntar aos seus pais, você vai descobrir que, quando era bebê, fazia coisas que hoje lhe causariam nojo ou aversão. Talvez você tenha comido uma minhoca do jardim. Por isso é interessante se perguntar: "Será que as coisas são mesmo asquerosas ou foram os meus gostos que mudaram?"

Todo mundo sente aversão pelas mesmas coisas?

Sim e não. Algumas coisas são asquerosas para qualquer um. E esse sentimento é muito útil, pois nos mantém afastados de substâncias que podem nos fazer mal. Por outro lado, alguns costumes que parecem repugnantes para uma família ou uma cultura são considerados normais em outra.

Imagine que uma família de outra cultura o convidou para jantar. Para mostrar quanto gostam de você, lhe oferecem seu prato mais saboroso: salada de insetos. Manifestar sua aversão nessa circunstância pode despertar nos anfitriões um sentimento de **hostilidade**.

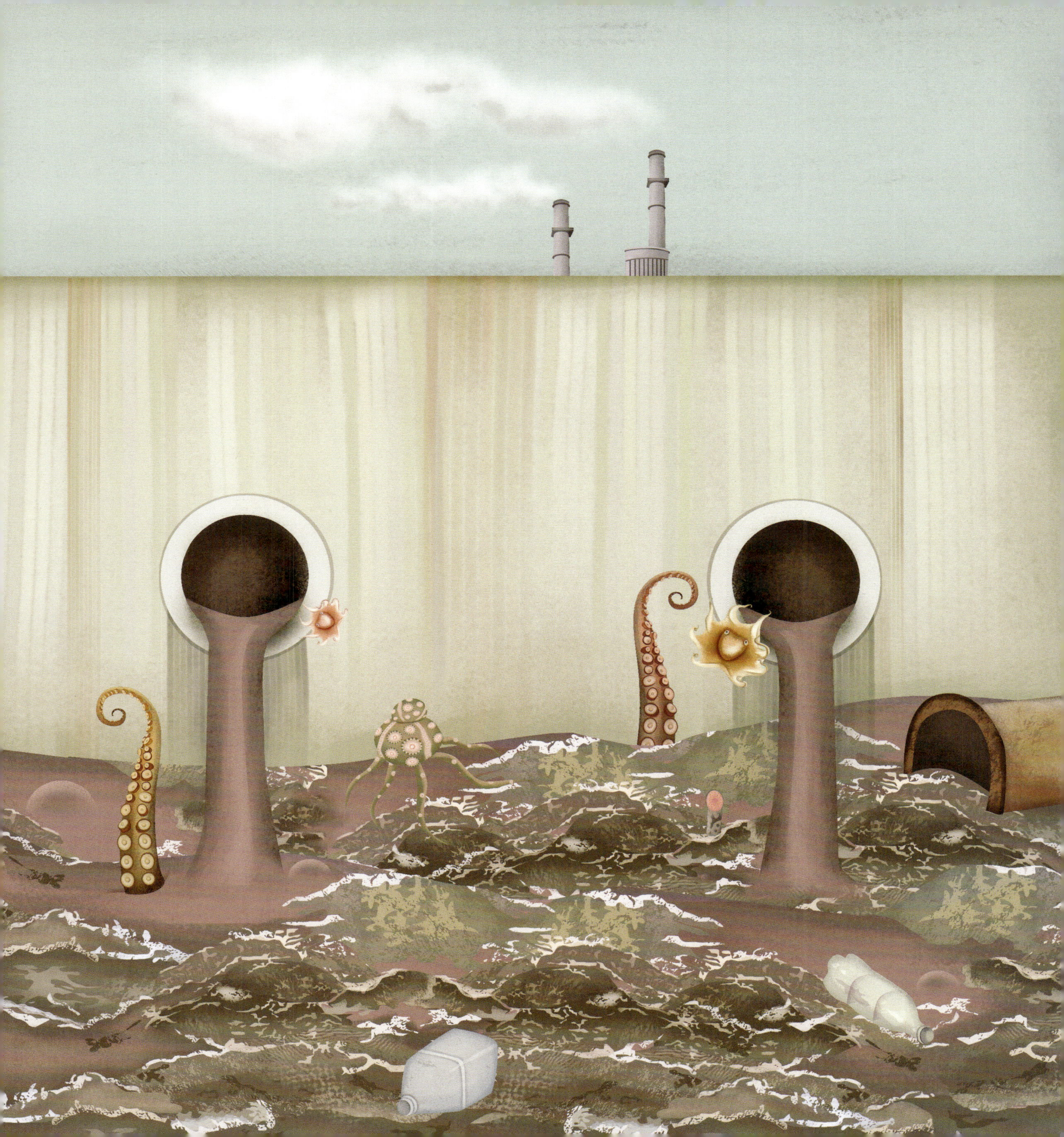

Hostilidade

Sentimos hostilidade quando alguém se opõe a nós ou a nossos desejos. Por exemplo: você deseja sair para brincar no parque, mas seus pais não deixam.

Quando sentimos hostilidade, tendemos a ser do contra e a discordar de tudo o que o outro fala. Se nos dizem "branco", dizemos "preto". Se nos dizem "adoro abacaxi", dizemos "detesto abacaxi".

Aonde a hostilidade nos leva?

A hostilidade nos leva a rejeitar o outro; desejamos incomodá-lo, atacá-lo, perturbá-lo...

Se, em vez de sermos hostis com uma pessoa, nós a acolhemos em nossa vida, estamos desenvolvendo a **aceitação**.

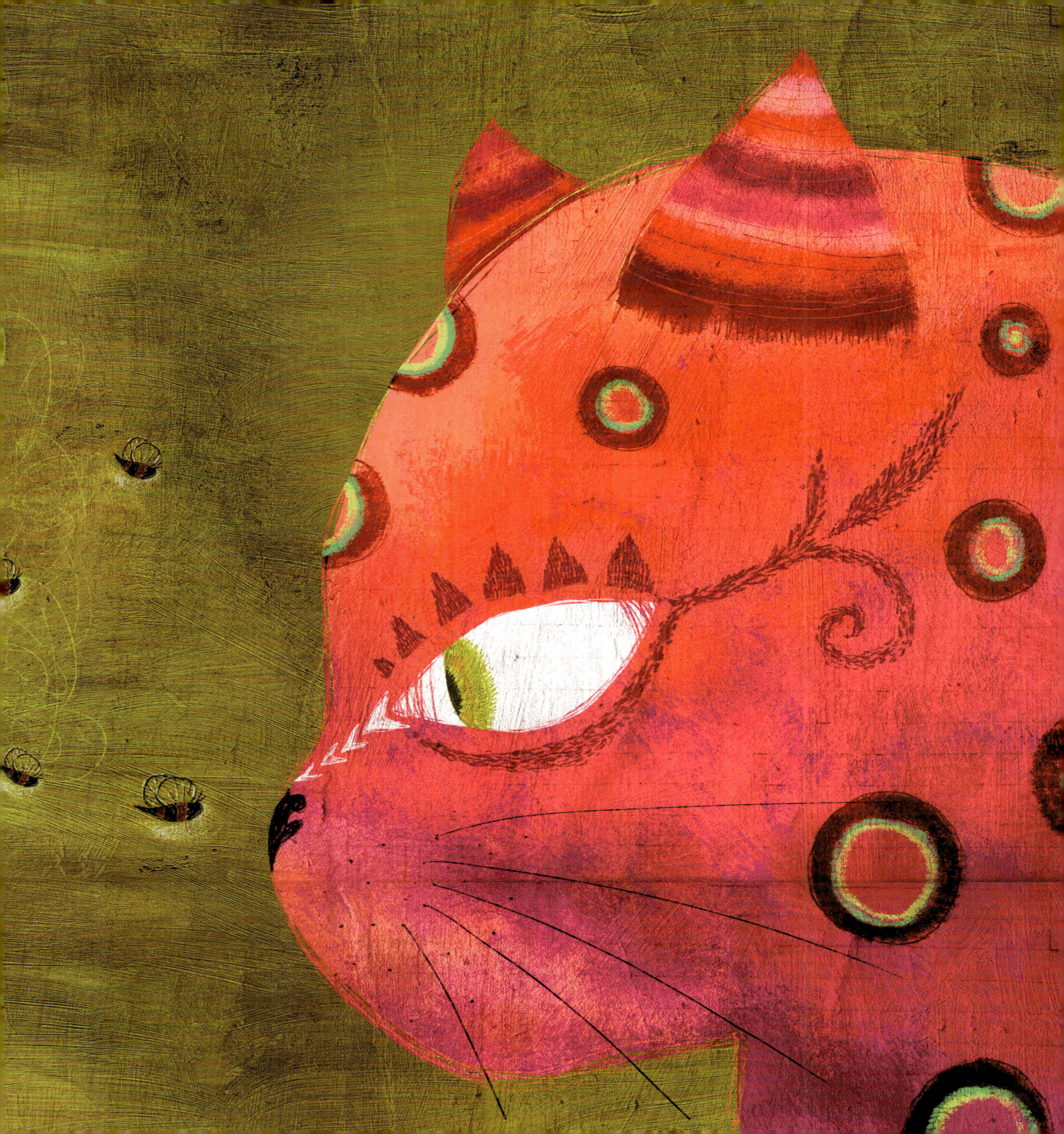

Aceitação

Nós nos sentimos aceitos quando percebemos que as pessoas gostam de nós do jeito que somos – com nossas virtudes e com tudo aquilo que ainda precisamos melhorar.

Também sentimos isso quando os outros reconhecem e valorizam nossas capacidades e ações.

Quais gestos transmitem aceitação?

Aplausos, palavras acolhedoras, um sorriso, um abraço ou qualquer outro gesto cuja finalidade seja demonstrar admiração.

A falta de aceitação faz com que nos sintamos vítimas da **incompreensão**.

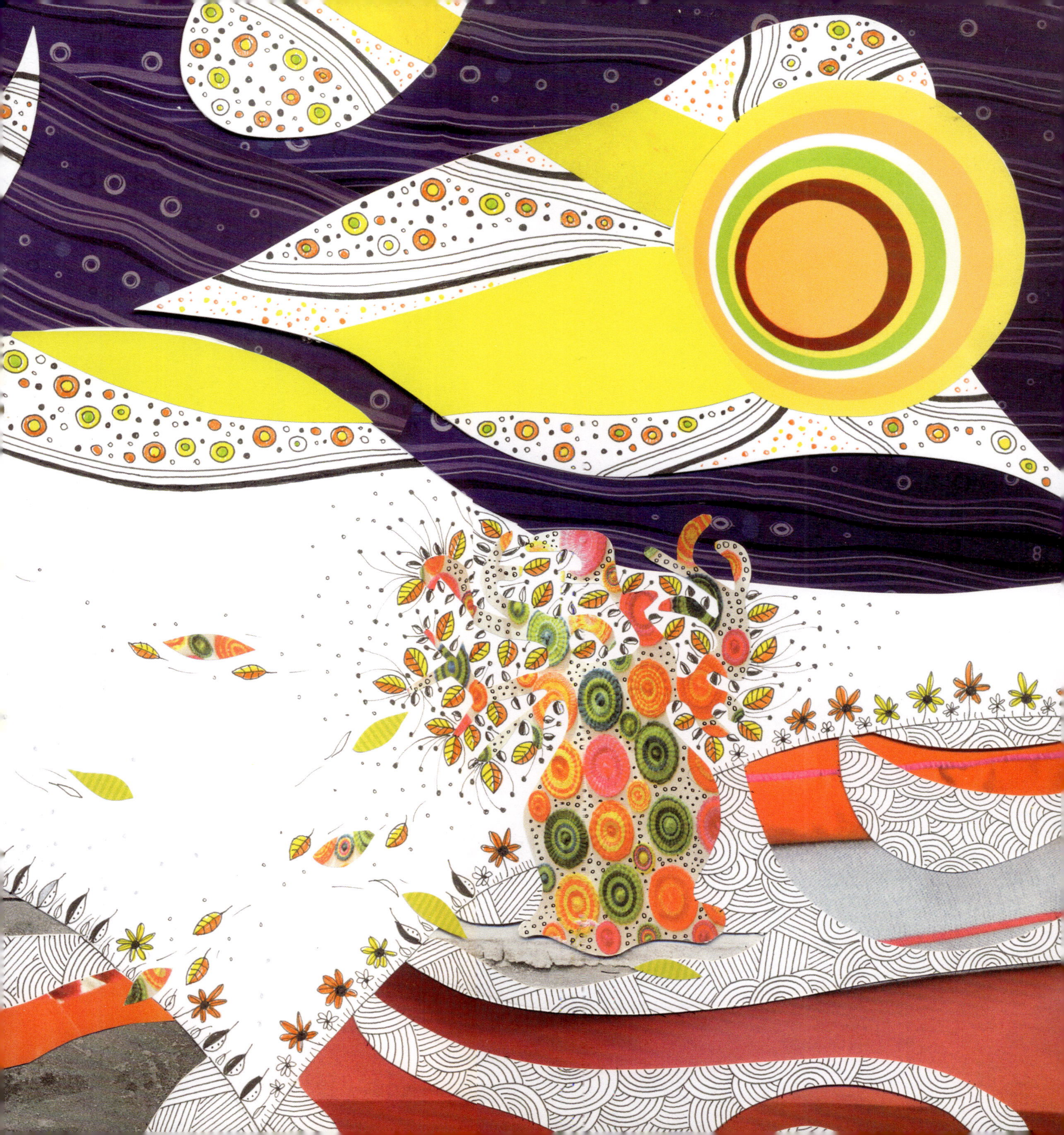

Incompreensão

A incompreensão nasce da falta de entendimento com o outro. Tentamos explicar algo que estamos sentindo ou pensando, mas a pessoa a quem nos dirigimos não nos entende.

Às vezes, nos sentimos incompreendidos porque nossos atos não estão de acordo com a opinião dos outros. Não se preocupe. Pense em Leonardo da Vinci e em muitos outros gênios: eles tiveram que enfrentar a incompreensão, pois suas ideias não se encaixavam na época em que viviam.

Como surge a incompreensão?

A incompreensão surge de um desajuste entre a forma como você enxerga o mundo e a maneira como as outras pessoas o veem. É uma mistura de frustração e desamparo.

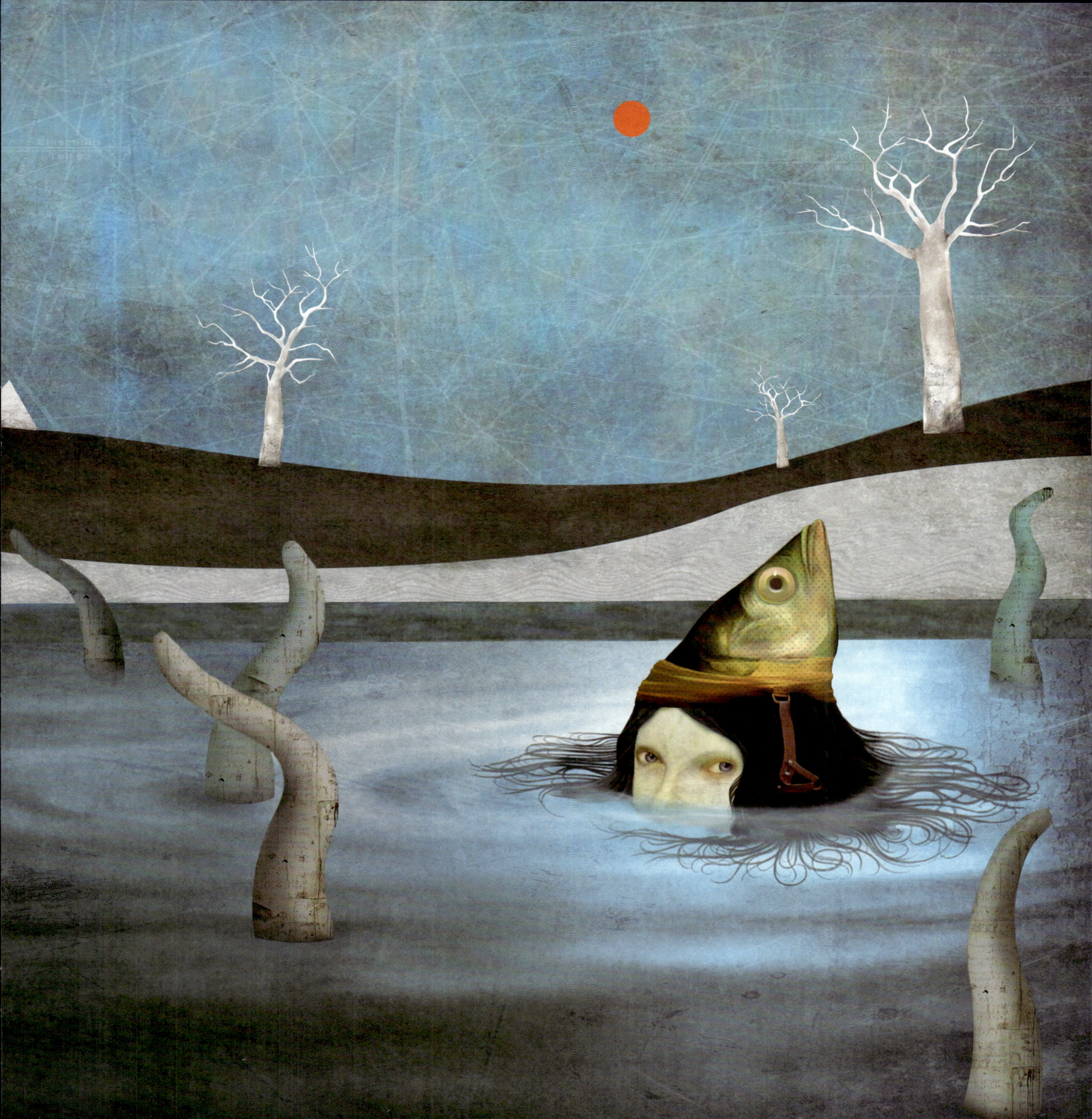

Desamparo

O desamparo nos invade quando nos sentimos desprotegidos ou achamos que não podemos contar com o apoio de ninguém.

É uma sensação de pesar e tristeza.

Acontece, por exemplo, se os seus amigos não ficam do seu lado ou o abandonam.

O que pensamos quando ficamos desamparados?

Pensamos que, se pedirmos ajuda, ninguém virá em nosso socorro.

Podemos estar rodeados de gente, mas se não tivermos o amparo de alguém, acabamos sentindo **solidão**.

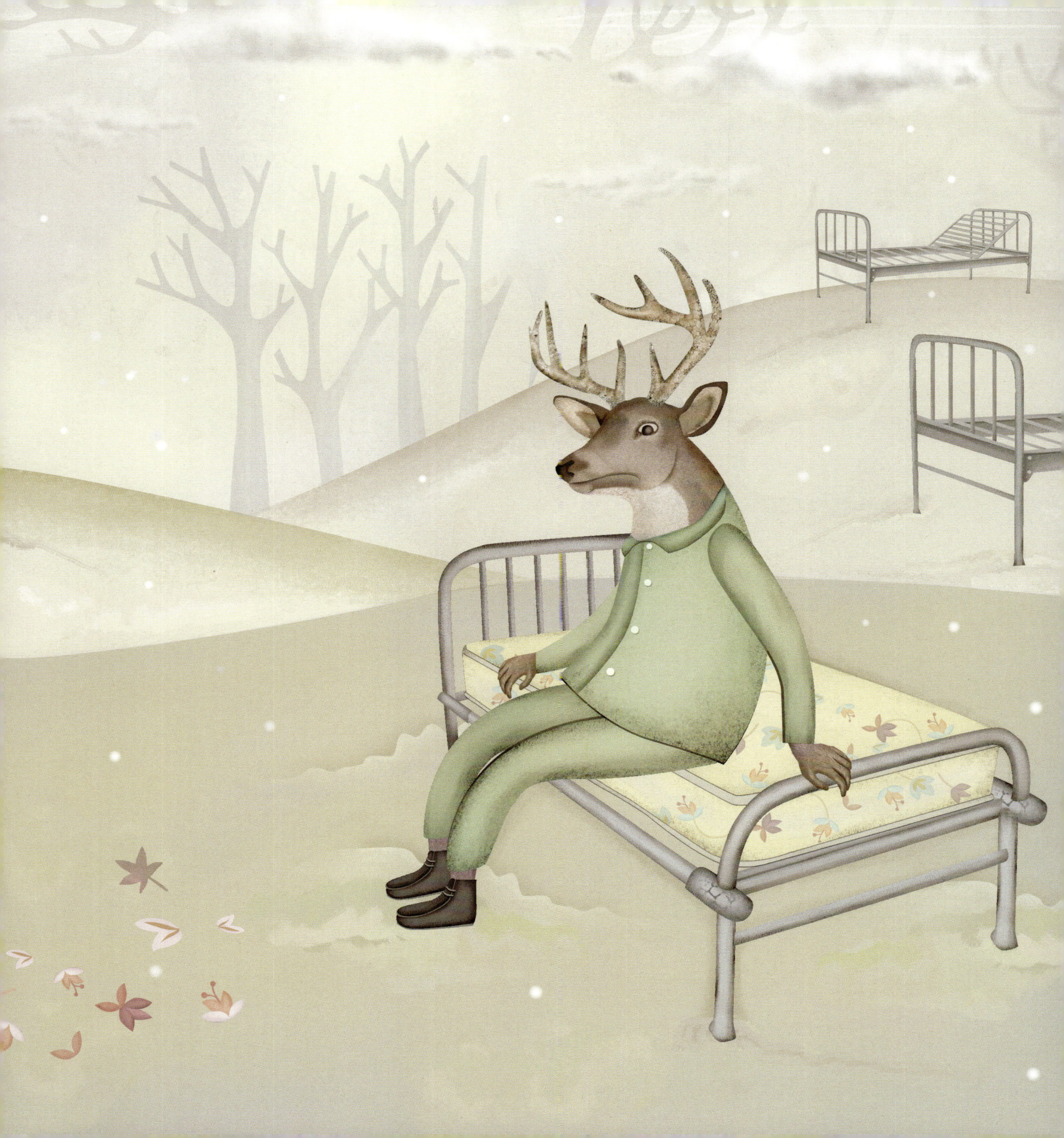

Solidão

A solidão é a ausência de companhia. Ela pode ser muito útil – por exemplo, quando não queremos ser incomodados. Mas também pode ser angustiante se acreditamos não ter a quem recorrer nem com quem dividir as coisas.

É possível se sentir solitário estando na companhia de outras pessoas?

Sim, quando não podemos contar com as pessoas que nos rodeiam ou quando nos deixam de lado. Imagine que seus amigos estão conversando sobre um filme que só você não viu. Se não puder participar do papo, pode ser que se sinta sozinho.

Para vencer a solidão é muito importante se comunicar.

Se você sente falta dos momentos em que não estava sozinho, está sentindo **saudade**.

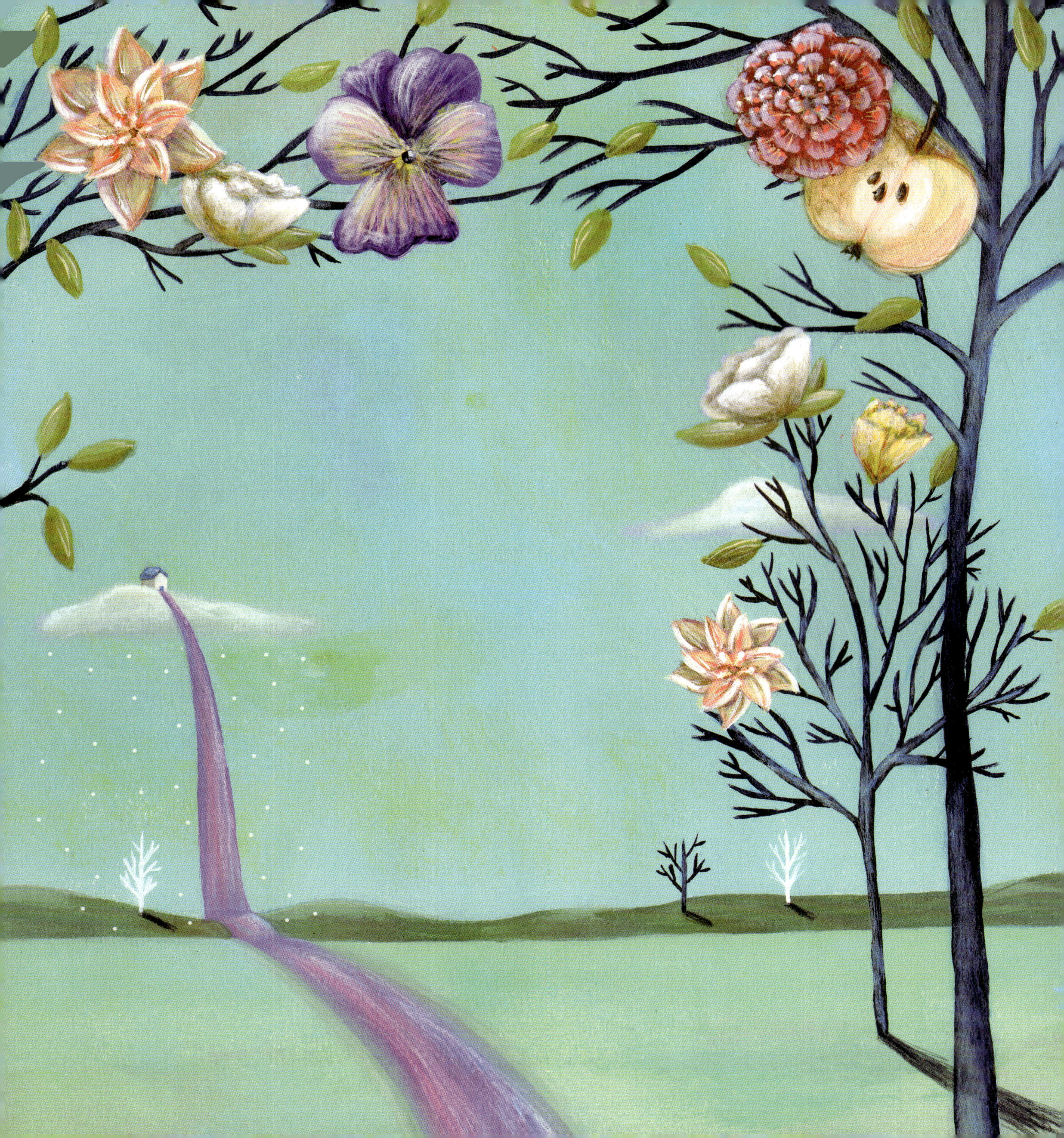

Saudade

A saudade cria um vazio em nosso coração e, quase ao mesmo tempo, o enche com gotinhas de pesar.

Quando sentimos saudade, parece que nos falta algo ou alguém: um amigo, um familiar, um lugar, um objeto. E essa ausência nos entristece.

Como identificar a saudade?

Se você fica triste ao recordar de algo, está sentindo saudade.

Quando a saudade se torna parte do seu dia a dia, você acaba se tornando prisioneiro da **melancolia**.

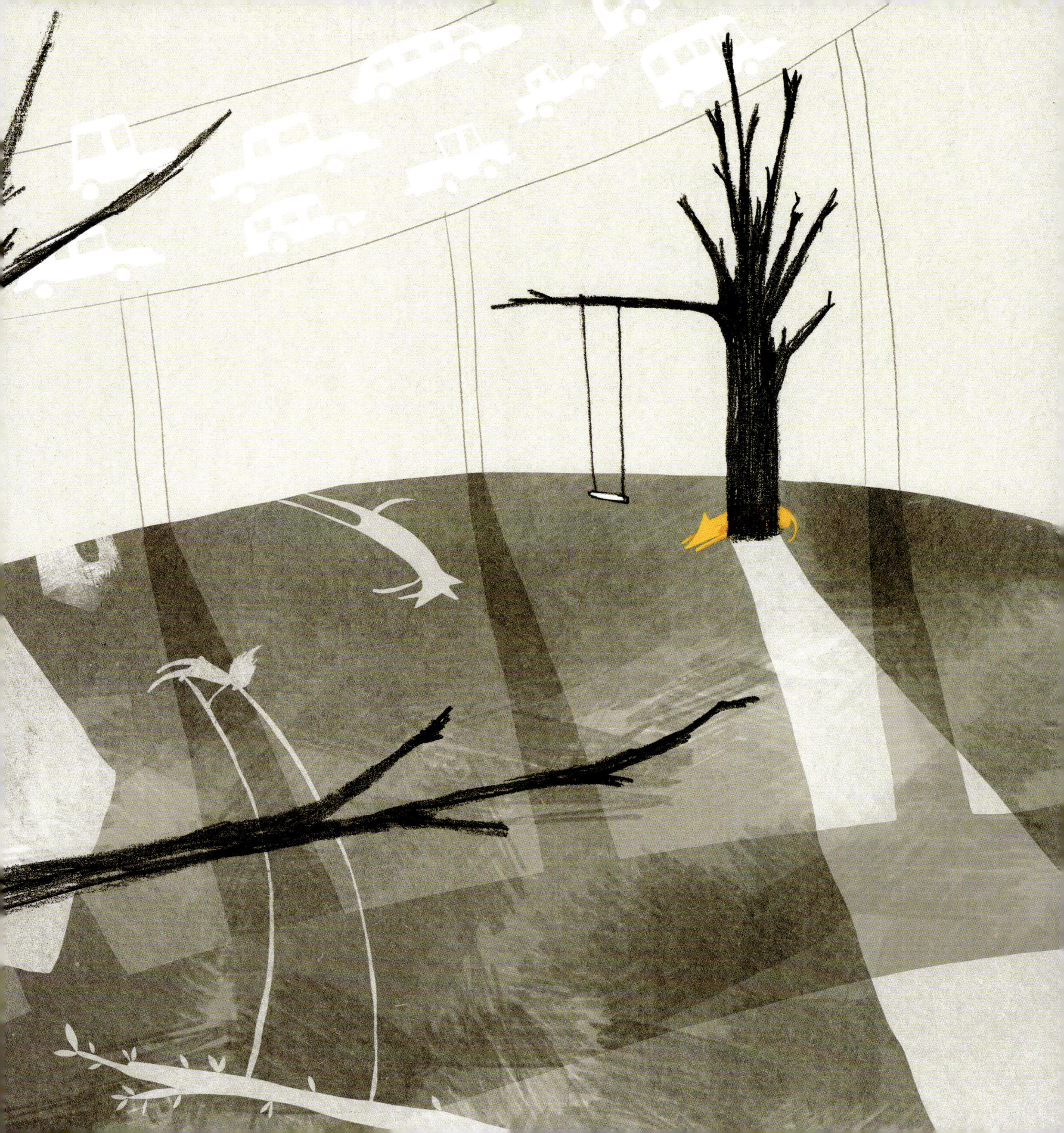

Melancolia

A melancolia é uma forma acentuada de saudade ou nostalgia. Quando estamos melancólicos, sentimos que o mundo em que desejamos viver é um lugar muito distante e difícil de alcançar.

Quando a melancolia aparece?

A melancolia pode nos dominar nos períodos de mudança. Nesses momentos, vemos com resignação ou tristeza que uma diversão ou um momento agradável está prestes a terminar. Muitas pessoas se sentem assim numa tarde de domingo, pois sabem que o fim de semana está acabando.

O lado bom da melancolia é quando você se permite saboreá-la, sem ter que fazer mais nada. Mas se esse prazer evapora, surge o **tédio**.

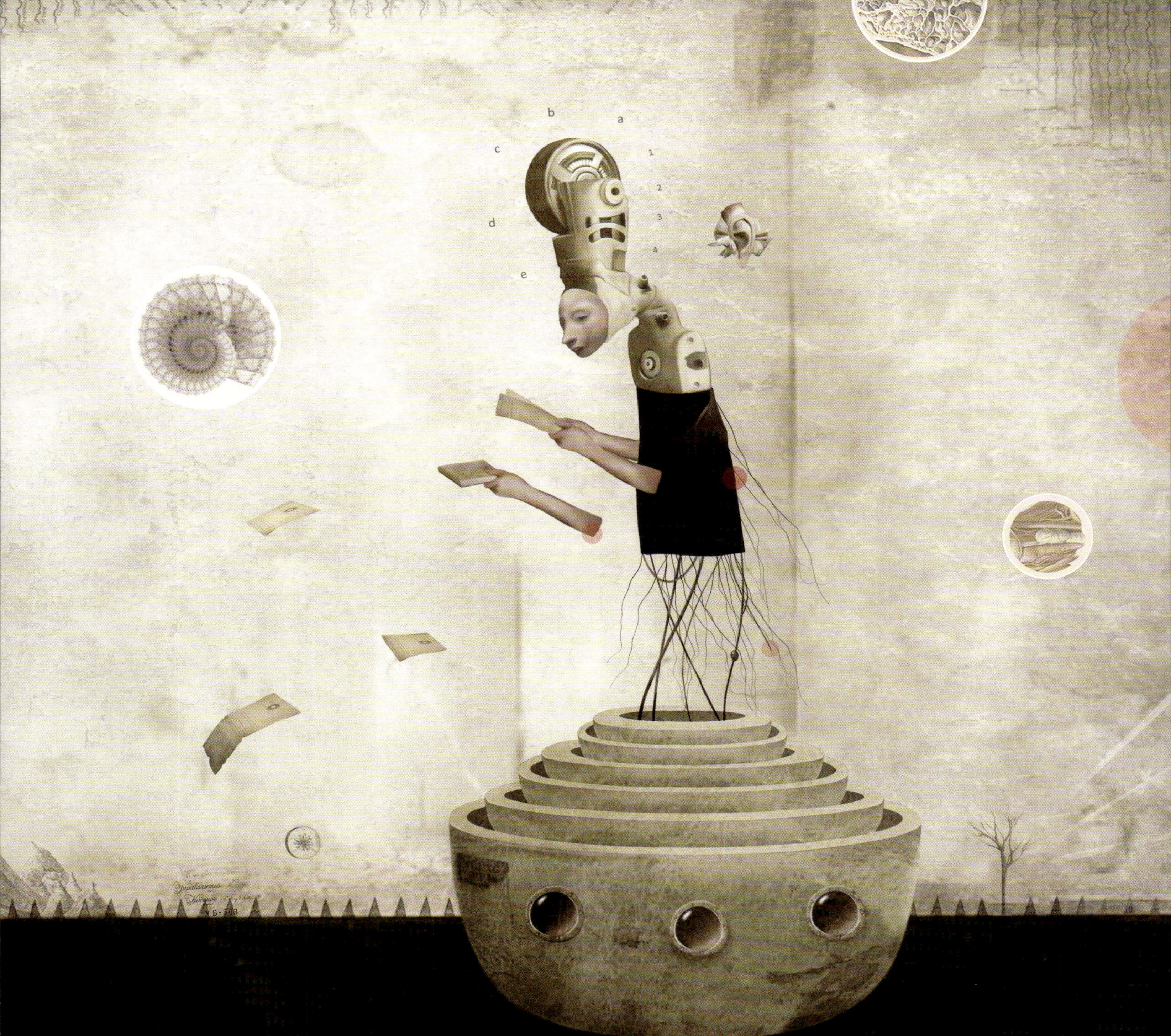
c
b
a
1
2
d
3
4
e

Tédio

Também chamado de "apatia" ou "desânimo".

O tédio é uma mistura de aborrecimento e cansaço que surge quando não estamos fazendo nada ou quando o que fazemos não nos satisfaz.

É um parasita que devora nossa capacidade de estar numa boa.

O que o tédio tem a ver com o tempo?

Quando estamos entediados, o tempo parece passar mais devagar e se estiiiiiiiiica.

Um antídoto contra o tédio é bolar ideias que nos despertem a **expectativa**.

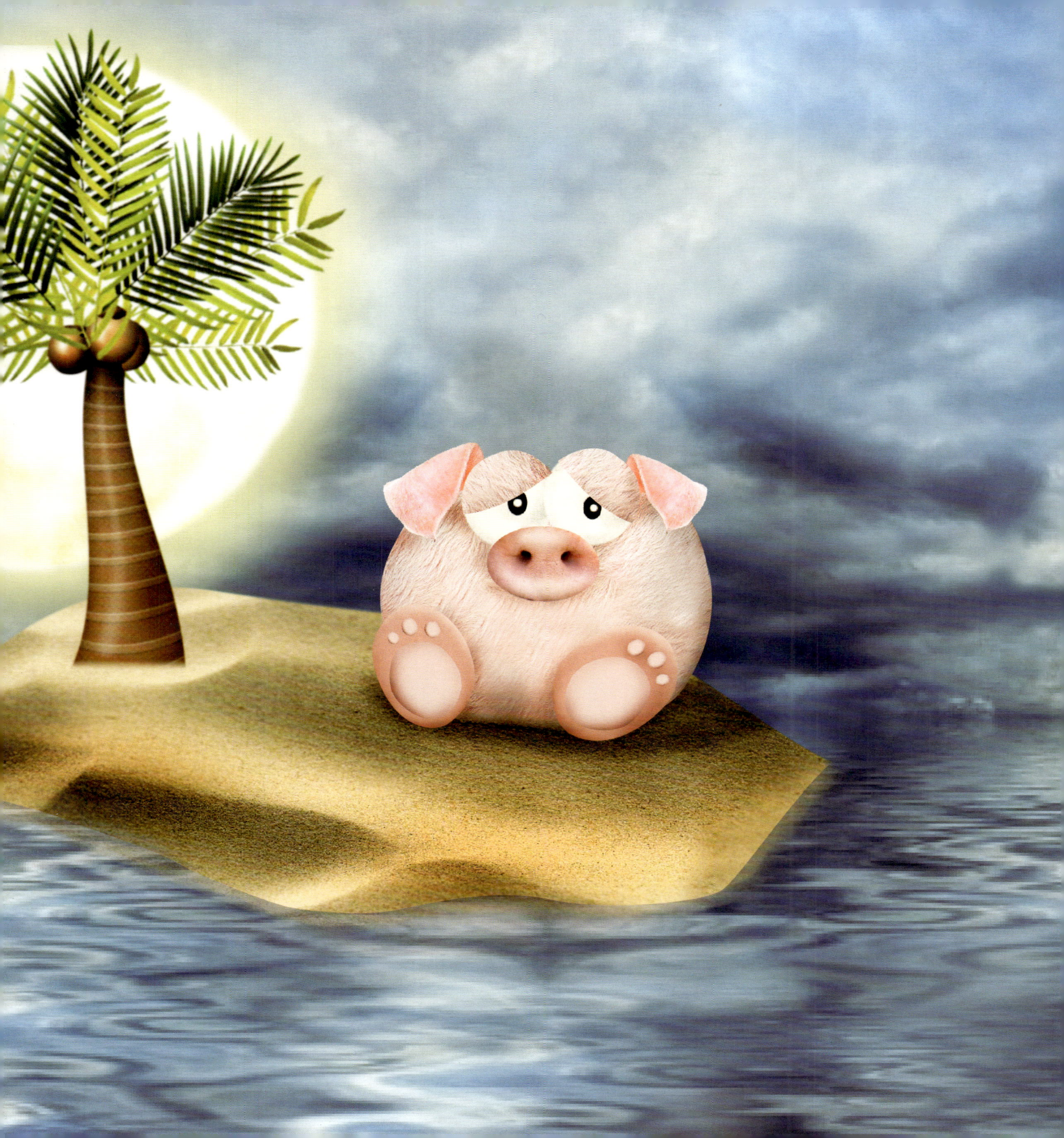

Expectativa

A expectativa é a esperança de que algo que desejamos aconteça. Ter expectativa é uma das melhores maneiras de curtir a vida e fazer as coisas com energia.

As coisas naturalmente despertam expectativa ou somos nós que a criamos?

Podemos ter expectativa em relação a quase tudo: a ter um irmãozinho, a comemorar nosso aniversário, a ir para a escola, a sair para brincar com os amigos... A expectativa é um ingrediente que dá sabor à vida.

Ficar na expectativa desperta o **entusiasmo**.

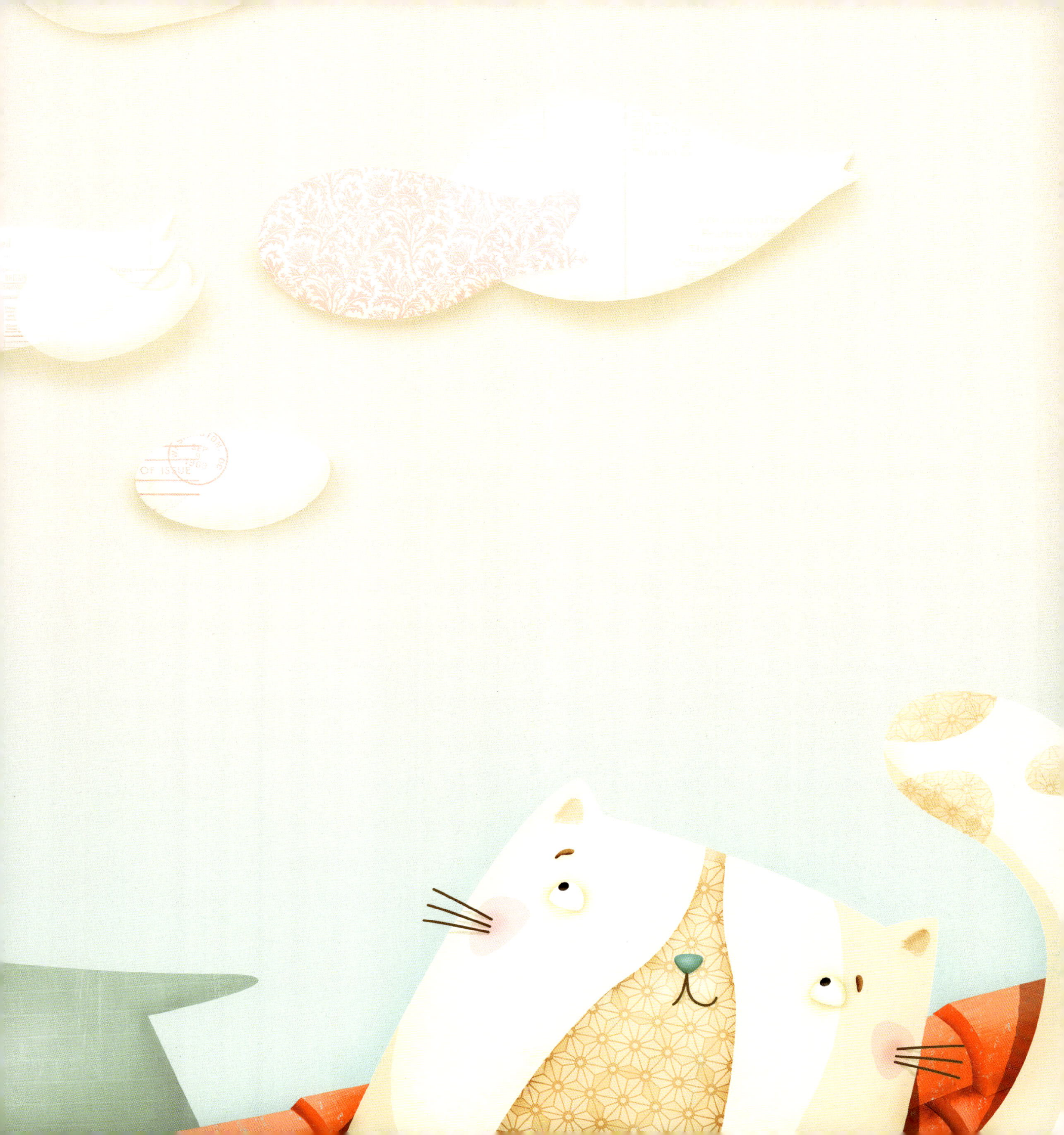
OF ISSUE

Entusiasmo

O entusiasmo é o despertar de um deus que existe dentro de nós. Quando nos deixamos levar por ele, nos sentimos poderosos, capazes de qualquer coisa.

Como é o entusiasmo?

O entusiasmo parece uma música porque, quando sentimos essa emoção, nosso corpo ganha um ritmo especial.

Tente escutar a canção do entusiasmo dentro de você: o ritmo começa no coração, vai ganhando força pouco a pouco, sobe pelos braços, desce pelas pernas... É uma energia que nasce no seu interior e o impele a agir.

Inspirados por essa música, facilmente chegamos à **euforia**.

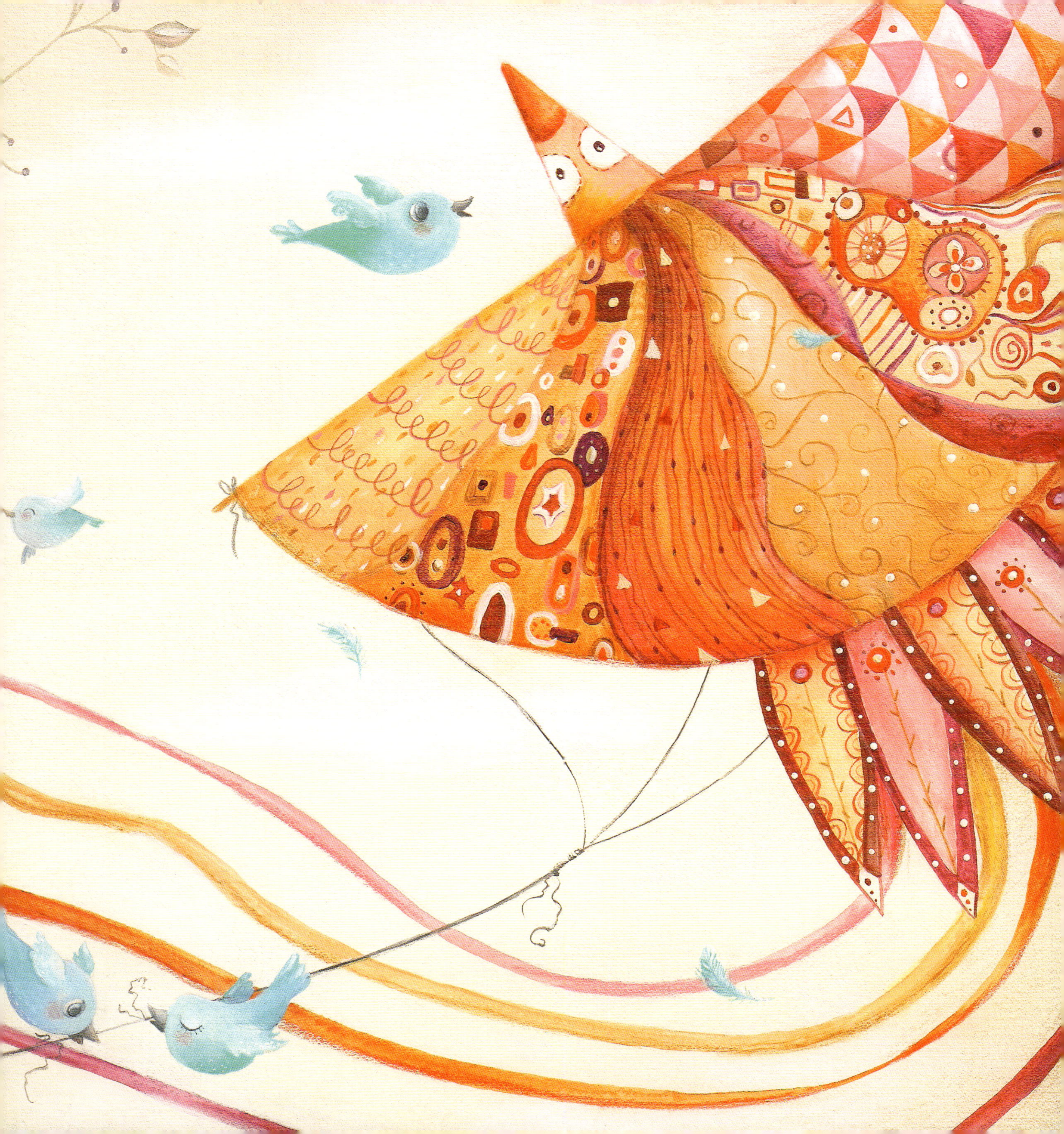

Euforia

A euforia é um transbordamento de energia positiva. Ela nos dá força para enfrentar os momentos de adversidade ou para festejar com um entusiasmo maior do que o normal.

O que caracteriza a euforia?

A euforia é uma sensação de extraordinário bem-estar. Por causa dela nos sentimos otimistas e acreditamos que podemos superar qualquer desafio.

É o oposto do **desalento**.

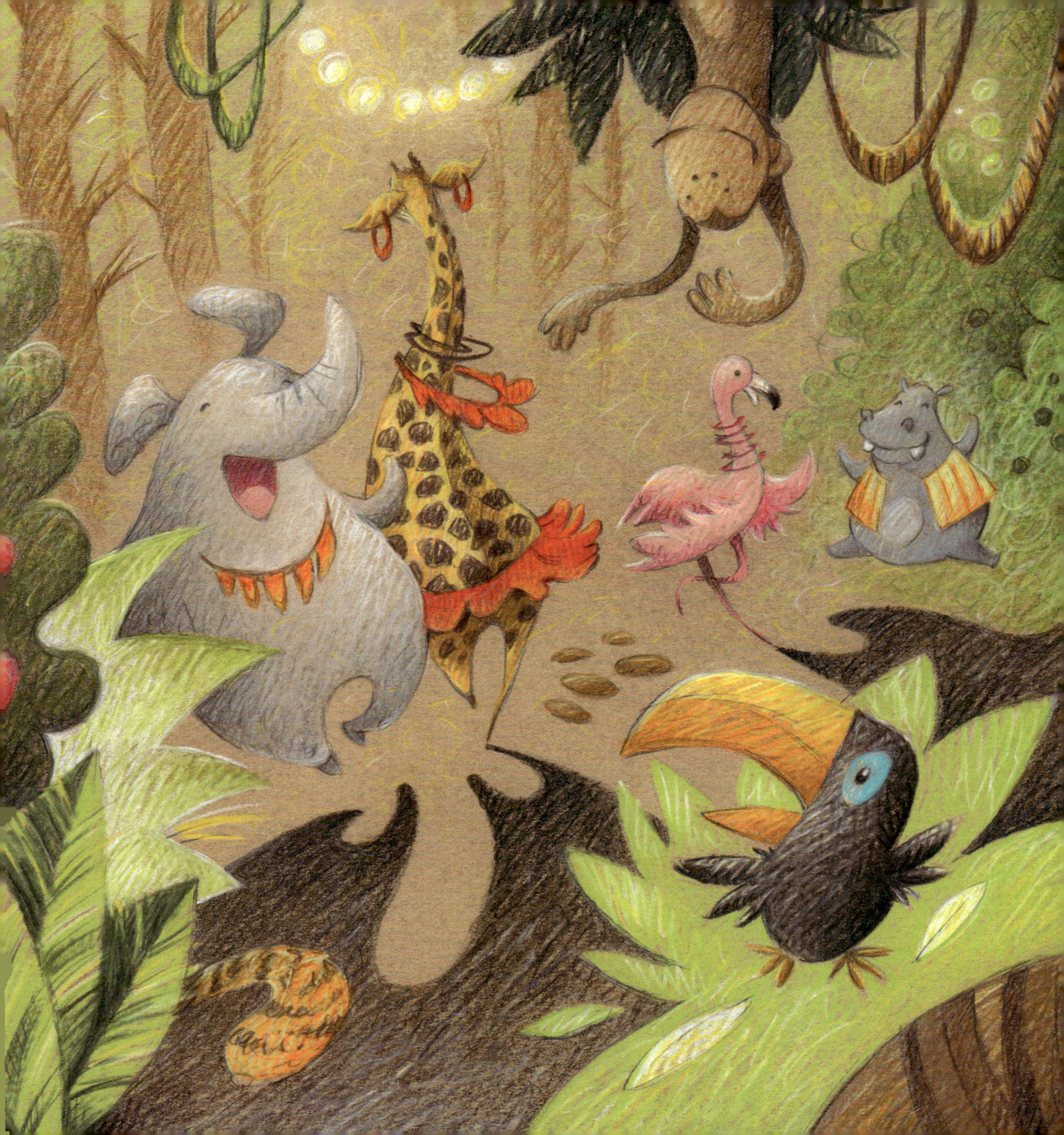

Desalento

Sentimos desalento quando nos falta ânimo para seguir adiante; quando percebemos nosso cansaço e achamos que alcançar nossas metas não será assim tão fácil.

Imagine que você está num bosque e quer voltar para casa. Você toma um caminho, porém percebe que não é o mais adequado. Volta ao ponto de partida. Procura uma nova trilha. Mas também não é essa. Você insiste. E mais uma vez se engana. Na quarta tentativa, percebe que as forças começam a faltar e desanima. Isso é desalento.

O que acontece quando surge o desalento?

À medida que o desalento se aproxima, a nossa meta vai ficando mais distante.

Quando o desalento nos vence e nos rendemos, abrimos caminho para a **decepção**.

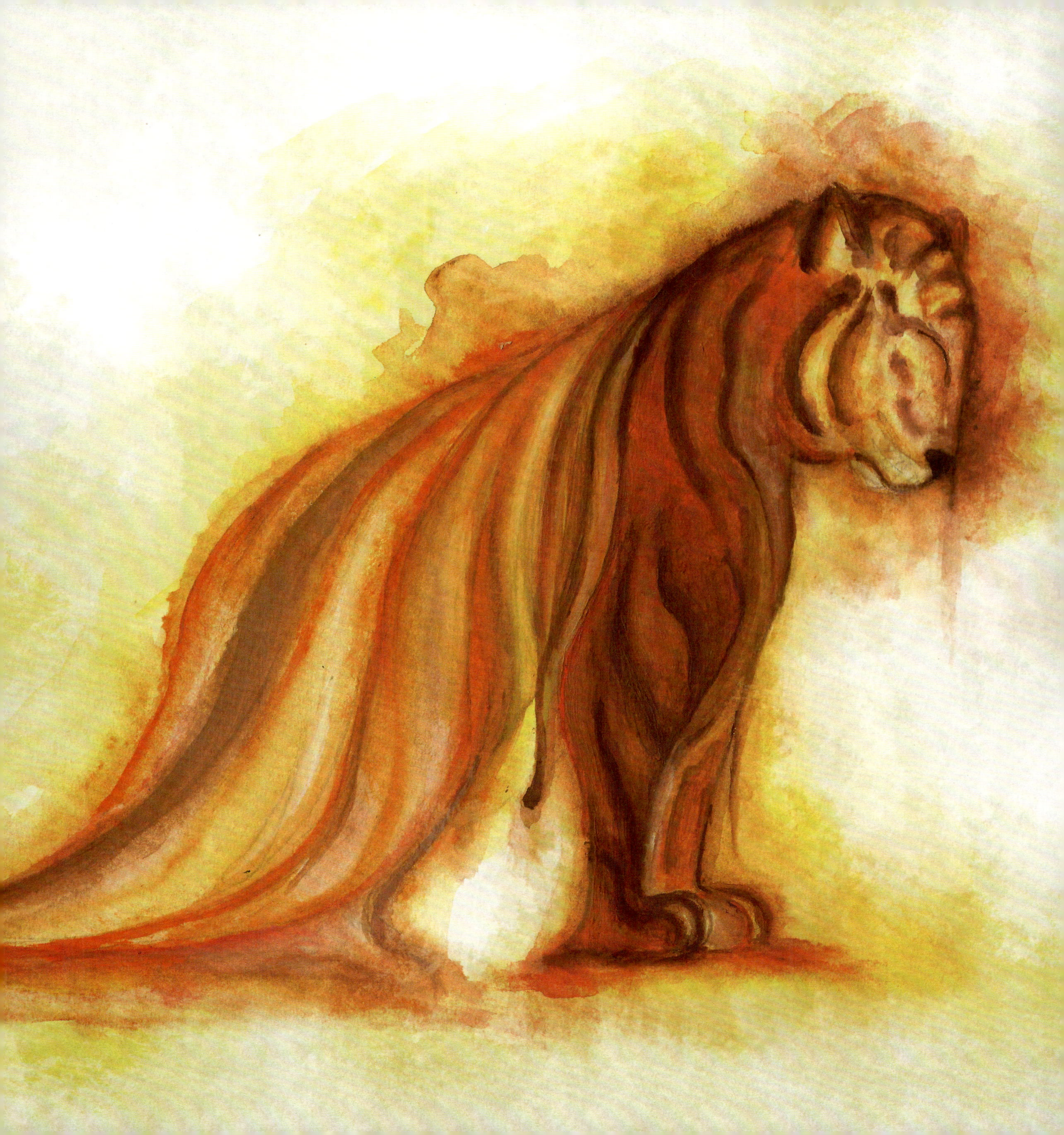

Decepção

É o pesar que nos invade quando descobrimos que aquilo em que acreditávamos não é verdade.

Também ficamos decepcionados quando desmorona a esperança que havíamos depositado em algo ou alguém.

É possível nunca se decepcionar?

Isso só poderia acontecer se você já soubesse tudo. Tudo mesmo: desde quantas vezes a sua mãe vai sorrir de manhã até o tamanho exato do Universo. E se você pode se surpreender, também pode se decepcionar. Essas duas emoções significam que algo não é como você pensava ou desejava. No caso da decepção, esse desajuste nos contraria. Mas não há por que desanimar: essas experiências nos ajudam a crescer.

Como você viu, é praticamente impossível escapar da decepção. Mas você pode evitar cair na **frustração**.

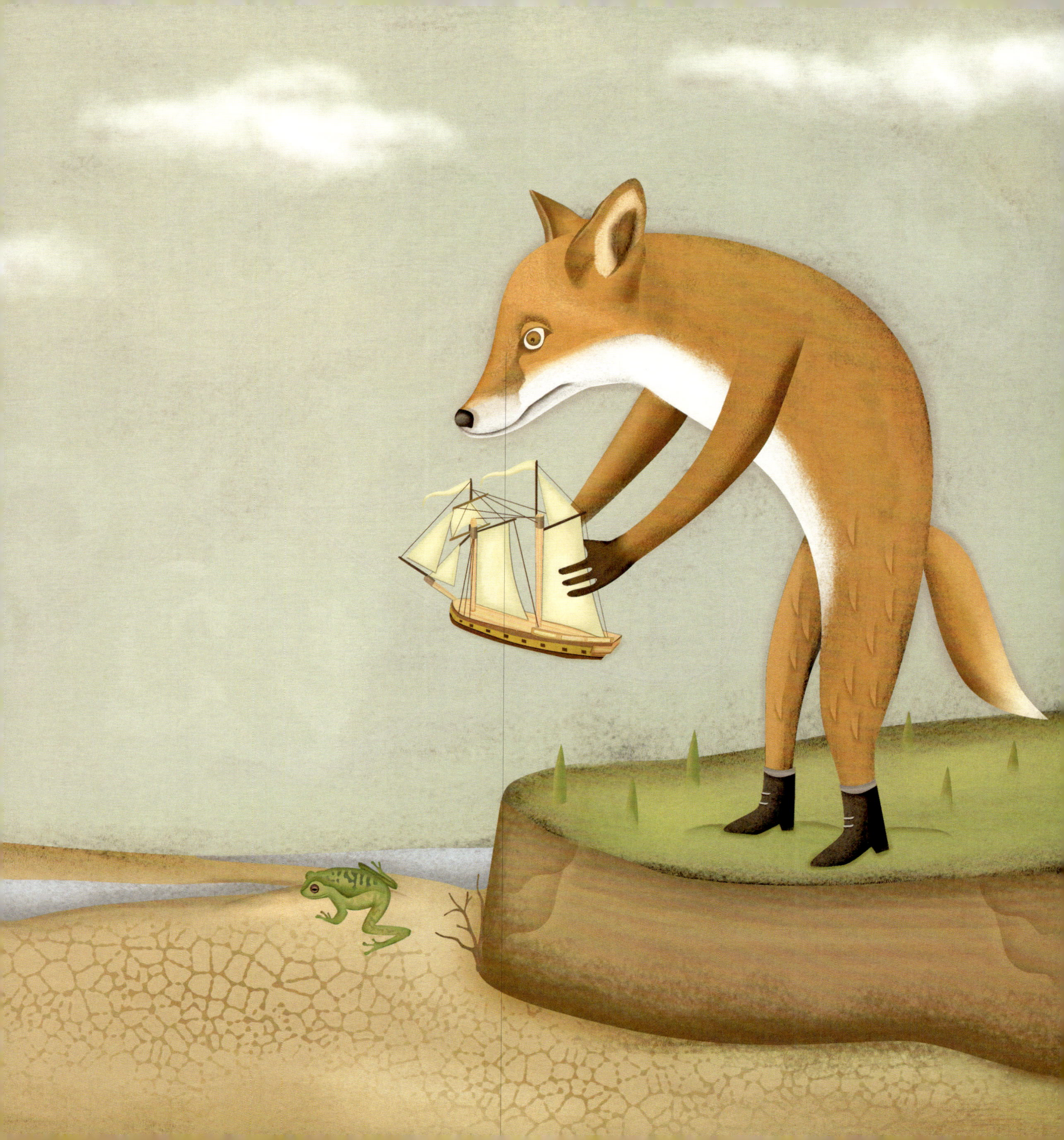

Frustração

É o mal-estar e o aborrecimento que nascem quando você não consegue fazer algo que desejava ou quando as coisas não acontecem como você esperava.

O que costuma nos trazer frustração?

– Nossas próprias limitações, como não ter idade suficiente para participar de uma competição.

– As limitações ou decisões de outra pessoa, como quando você não pode ir a uma atividade extraclasse divertida porque ela foi cancelada.

– As condições do clima, como uma tempestade de verão que o impede de curtir a praia.

Diante da mesma situação, algumas pessoas ficam frustradas, outras procuram uma solução. Essas últimas despertam a nossa **admiração**.

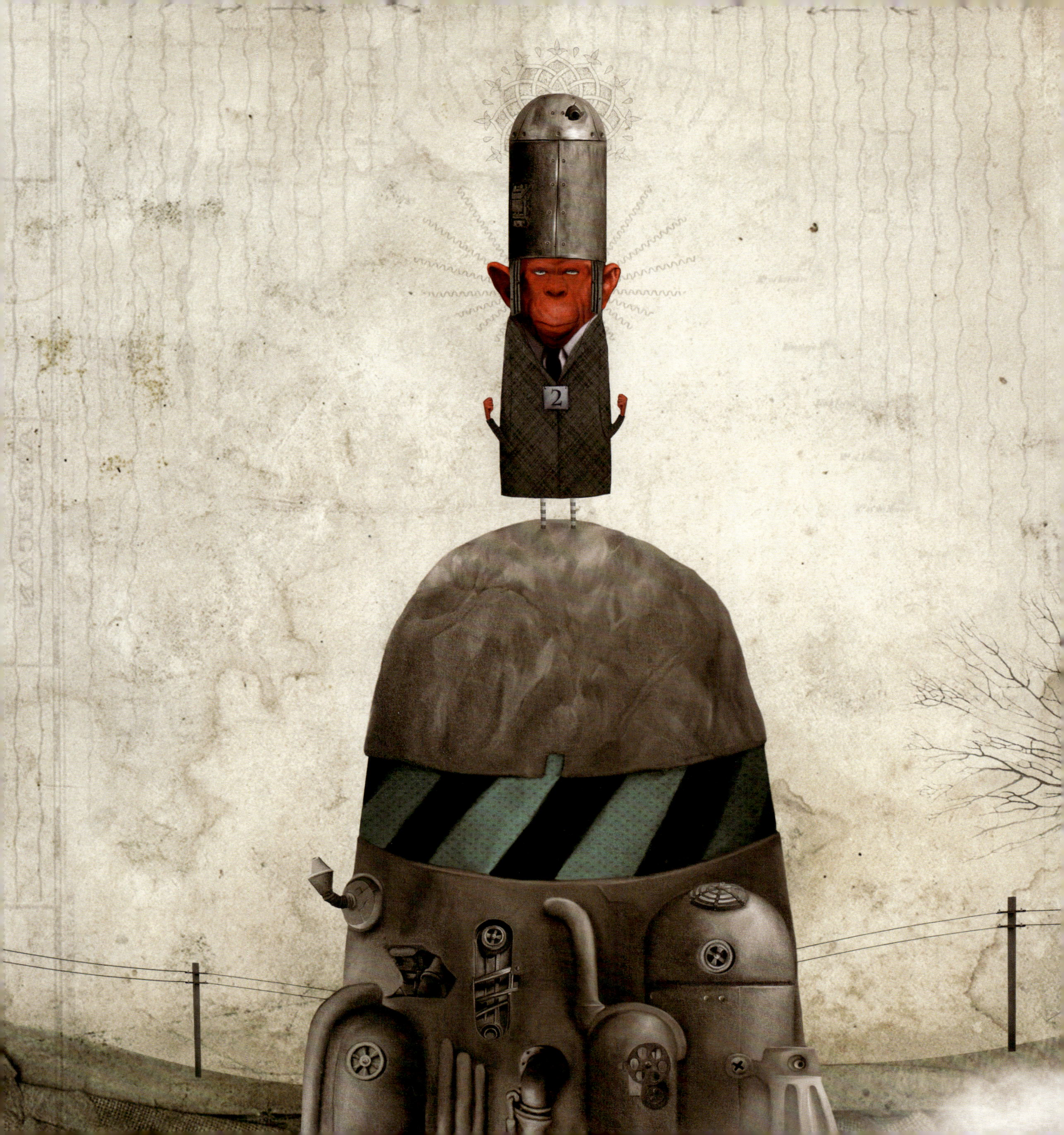
2

Admiração

A admiração é o apreço e o respeito que sentimos por alguém que tem grandes qualidades ou que tenha feito algo fora do comum.

Por exemplo:

– uma atleta que constantemente supera a si mesma;

– um explorador que desbrava uma floresta desconhecida;

– uma amiga que desenha especialmente bem.

Todo mundo tem algo digno de admiração?

Sim, mas é preciso saber enxergar. Algumas pessoas possuem qualidades que nós não temos ou são capazes de fazer coisas que não conseguimos. Por isso as admiramos.

E, para admirar alguém, temos que estar cientes das nossas limitações. Mas se essas limitações nos entristecem e nos impedem de valorizar os outros, surge a **inveja**.

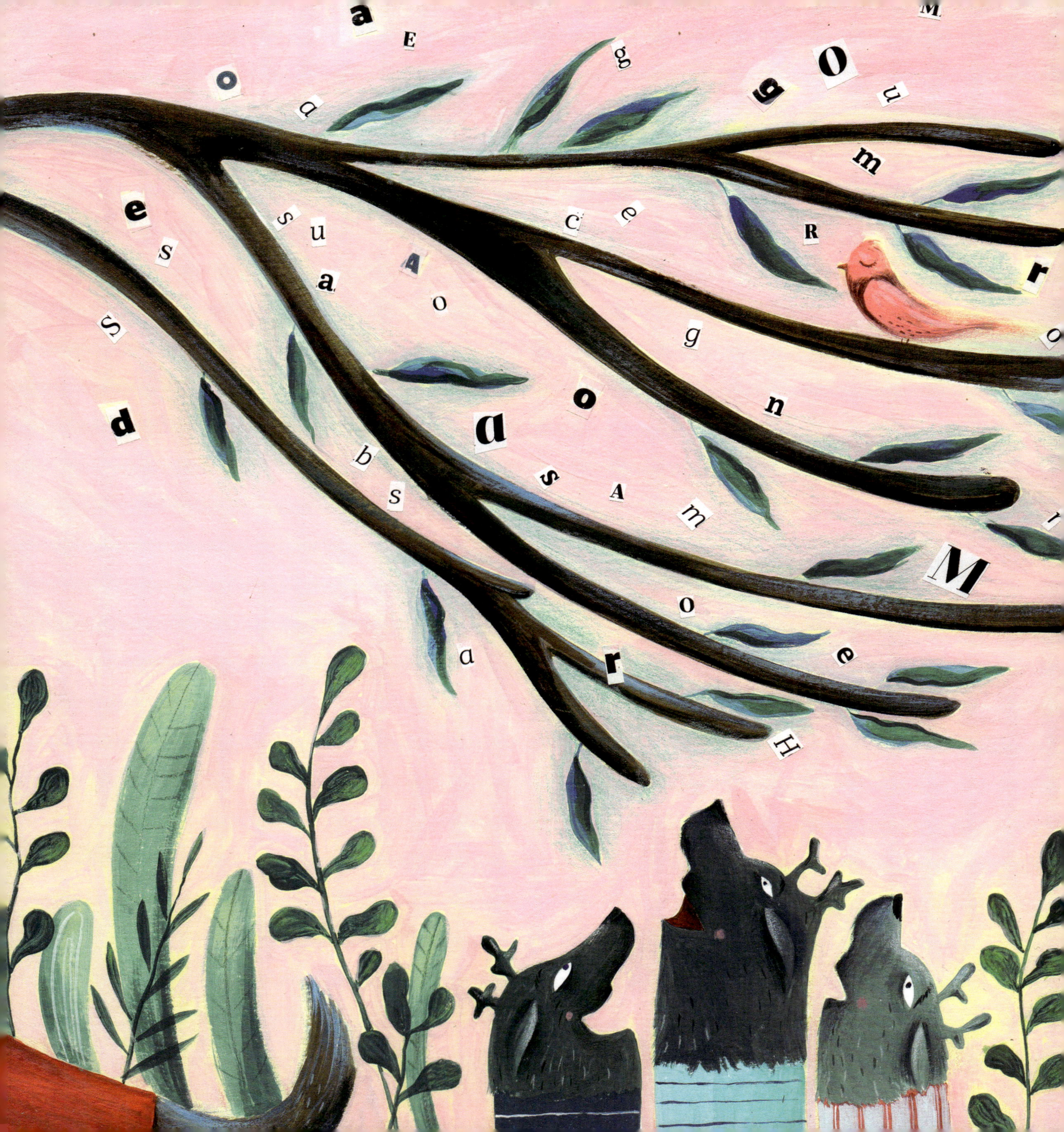

Inveja

Alguns dizem que a inveja e o ciúme são a mesma coisa. Mas isso não é verdade – ainda que ambas as emoções andem lado a lado, misturando-se e estimulando-se mutuamente. São parasitas que devoram a sua alegria. O que elas querem não é que você se dê bem, mas que os outros se deem mal.

Qual a diferença entre a inveja e o ciúme?

O ciúme é a dificuldade de compartilhar aquilo que consideramos nosso, como o amor de alguém querido. A inveja, ao contrário, não diz respeito a algo que você tenha, mas a algo que o outro tem: é a tristeza que se sente quando alguém possui o objeto do seu **desejo**.

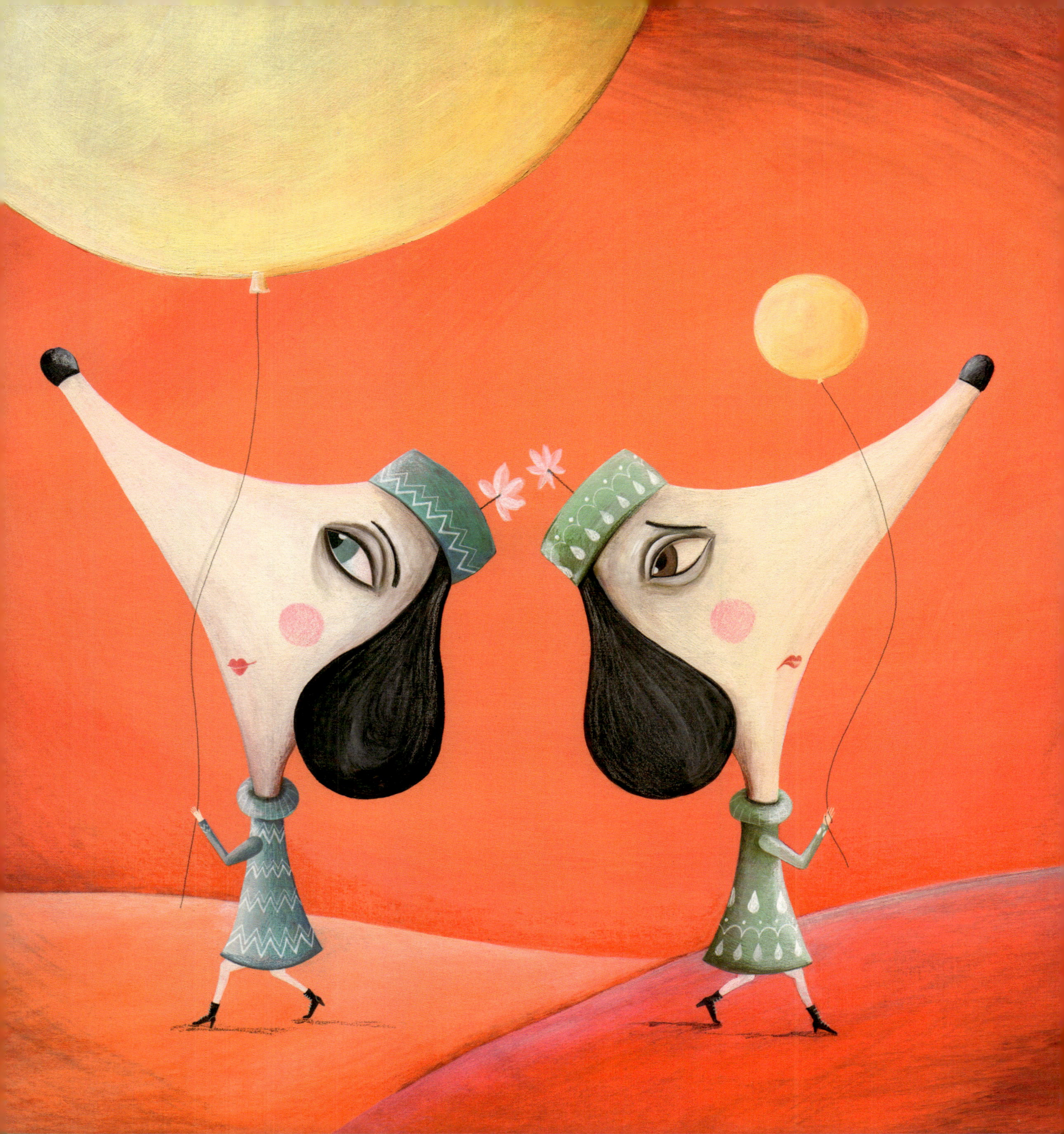

Satisfação

Saciar uma necessidade produz satisfação.

Essa necessidade pode ser física ou emocional, como matar a fome ou pintar um quadro. E quando comemos ou terminamos a pintura, nos sentimos satisfeitos.

A satisfação aumenta a sua confiança?

Sim. Ela aumenta a sua autoconfiança, especialmente quando é resultado de suas próprias habilidades ou de seu comportamento. Você se sente duplamente satisfeito, por exemplo, quando sacia a sua fome comendo uma fruta que ajudou a cultivar.

Podemos experimentar a satisfação até mesmo nas derrotas. É uma grande realização quando conseguimos melhorar nossos resultados, ainda que tenhamos perdido a competição. A melhora constante nos enche de **orgulho**.

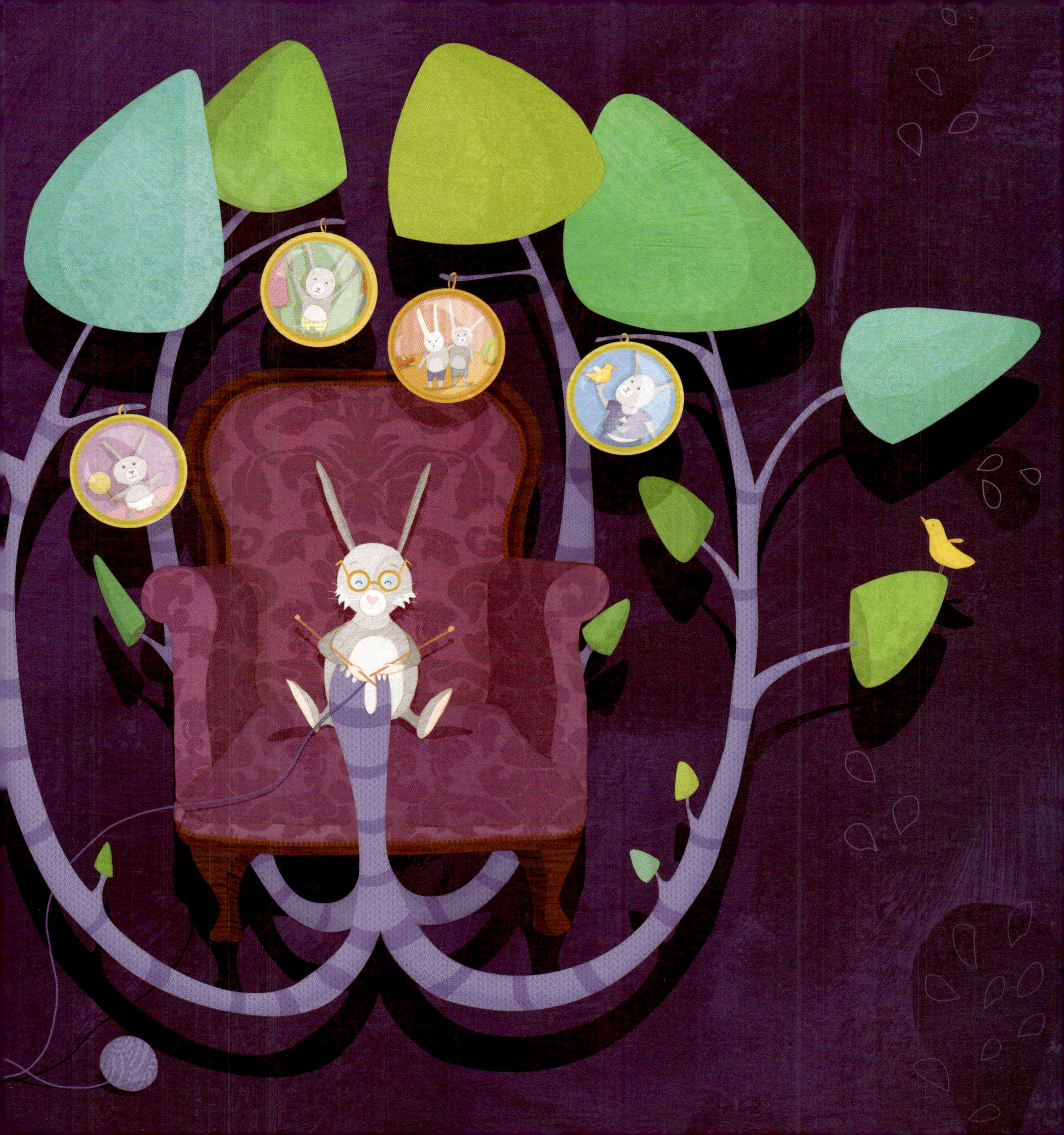

Orgulho

O orgulho é a atribuição de um valor muito alto a alguma coisa, a alguém ou a si mesmo.

O orgulho que você sente por quem você é ou pelo que faz pode beneficiá-lo ou prejudicá-lo.

Que tipos de orgulho pessoal existem?

– Orgulho egocêntrico: faz com que os seus objetivos se reduzam a um só – ser o centro das atenções. A consequência disso é que você pode se tornar pedante, soberbo ou arrogante.

– Orgulho virtuoso: faz com que sua meta principal seja conseguir fazer sempre o melhor com o que tem nas mãos. Ele lhe permite descobrir e valorizar as suas qualidades, o que pode ajudá-lo a enfrentar grandes desafios.

Superar a si mesmo lhe causa **prazer**.

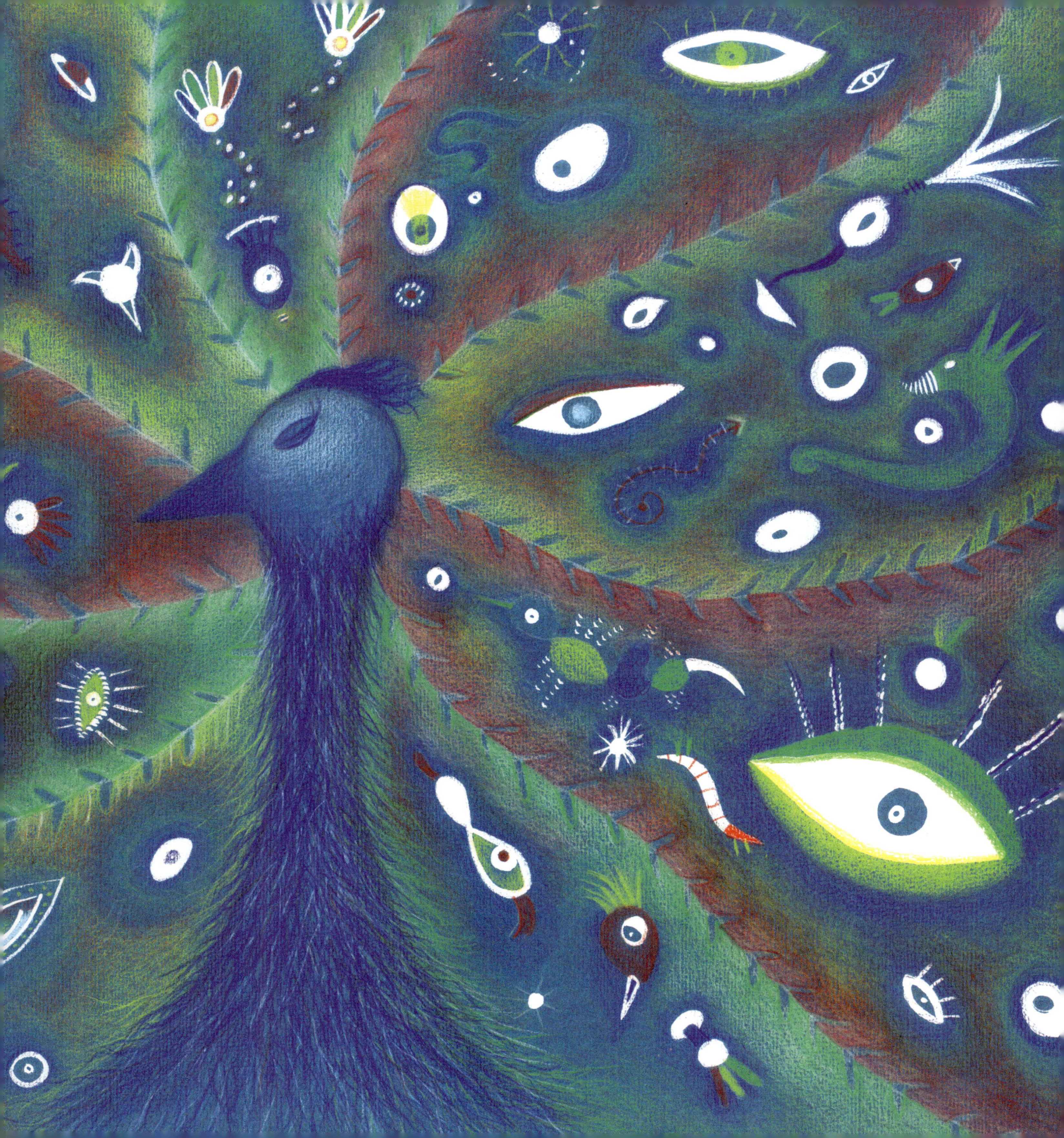

Prazer

O prazer é a satisfação e a alegria produzidas por algo de que gostamos muito.

Podemos encontrar prazer em atividades muito diferentes: fantasiar outros mundos, olhar coisas bonitas, resolver problemas difíceis, brincar, sentir-se amado.

Como podemos apreciar o prazer?

Para sentir prazer, você precisa estar atento ao que acontece. Imagine que há um copo de suco à sua frente. Você pode bebê-lo rapidamente só para matar a sede ou se concentrar no sabor e aproveitá-lo sem pressa, sentindo o prazer que ele lhe proporciona.

Uma vida repleta de prazer nos faz sentir **gratidão**.

Gratidão

A gratidão é a alma da palavra "agradecer". Ela se multiplica quando você é capaz de ver os presentes que o dia a dia oferece: o sorriso de um amigo, uma canção bonita, uma comida gostosa...

A gratidão nos ensina a aproveitar melhor a vida. É a porta de entrada para a felicidade.

Quando eu tinha 10 anos, minha avó me deu um "diário da gratidão" e disse ao meu ouvido:

– Eu tenho um igualzinho. Toda noite, escrevo nele coisas que me fazem sentir agradecida. Depois, quando o coloco embaixo do travesseiro, algo maravilhoso acontece: o conteúdo do diário entra nos meus sonhos e transforma o meu mundo no Palácio da Felicidade... e essa alegria me acompanha durante todo o dia seguinte.

A quem agradecer agora?

– Às pessoas que colocaram sua magia nestas páginas e ilustraram o livro.

– À pessoa que o comprou e o deu de presente a você.

– E, especialmente, a você, por dividir com a gente este emocionário.

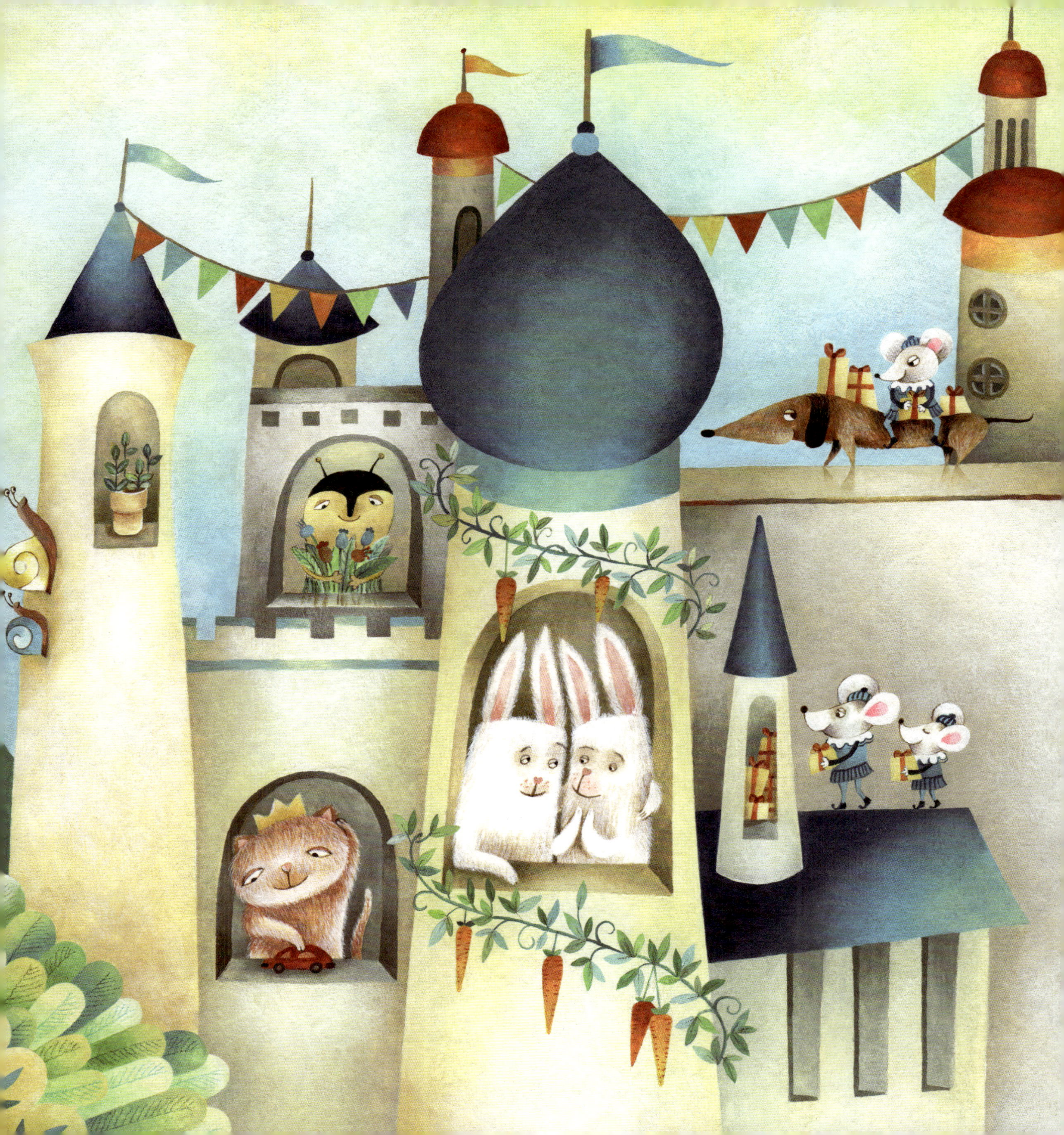

CONHEÇA OUTROS TÍTULOS DE NOSSO CATÁLOGO

Eu e meus sentimentos

Um guia para as crianças entenderem suas emoções e aprenderem a se expressar. Mais de 30 atividades, dicas e testes. (de 7 a 12 anos)

Vamos lidar com a raiva

Nesse livro, as crianças encontrarão 50 atividades divertidas para manter a calma e tomar decisões melhores nos momentos difíceis. (de 7 a 12 anos)

Vamos lidar com a hiperatividade e o déficit de atenção

Um livro com 60 atividades divertidas para que as crianças desenvolvam o foco e diminuam a ansiedade. (de 7 a 12 anos)

O que Dani deve fazer?

9 histórias em 1 só livro! Perfeito para quem quer ensinar as crianças sobre responsabilidade e o poder de suas escolhas. Coleção com mais de 1 milhão de livros vendidos. (de 6 a 9 anos)

O que Dani deve fazer? Na escola

8 histórias em 1 só livro! Dessa vez, as crianças vão ajudar o Dani a tomar decisões na escola. (de 6 a 9 anos)

Primeiros passos para escrever letras e números

Começar a escrever vai ser fácil e prazeroso com este livro lúdico e colorido. (a partir dos 4 anos)

sextante.com.br